8 maneras de predecir su fortuna

8 maneras de predecir su fortuna

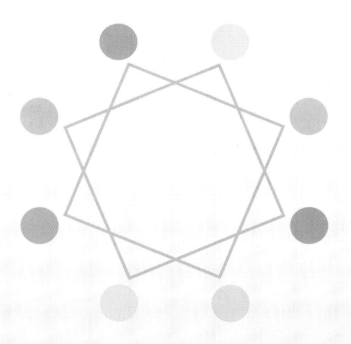

Sarah Bartlett

PANAMERICANA
EDITORIAL

Bartlett, Sarah
    8 maneras de predecir su fortuna / Sarah Bartlett ;
traductor Yolanda Enciso Patiño ; ilustraciones Jane Evans.
— Bogotá :Panamericana Editorial, 2009.
    176 p. : il. ; 24 cm.
    ISBN 978-958-30-2797-0
    1. Adivinación 2. Tarot 3. Cartomancia 4. Arcanos mayores
(Tarot) I. Enciso Patiño, Yolanda, tr. II. Evans, Jane, il. III. Tít.
133.32424 cd 21 ed.
A1146631

        CEP-Banco de la República-Biblioteca Luis Ángel Arango

Editor
Panamericana Editorial Ltda.

Dirección editorial
Conrado Zuluaga

Edición en español
Luisa Noguera Arrieta

Traducción
Yolanda Enciso Patiño

Título original *8 ways to tell your fortune*

Primera edición en Panamericana Editorial Ltda., marzo de 2009

© 2006 Octopus Publishing Group
© 2006 Sarah Bartlett
© 2009 de la traducción al español: Panamericana Editorial Ltda.
Calle 12 No. 34-20, Tels.: (571) 3603077 – 2770100
Fax: (571) 2373805

panaedit@panamericana.com.co
www.panamericanaeditorial.com
Bogotá D.C., Colombia

ISBN 978-958-30-2797-0

Impreso por Panamericana Formas e Impresos S.A.
Calle 65 No. 95-28, Tel.: (571) 4300355, Fax: (571) 2763008
Bogotá D.C., Colombia

Quien sólo actúa como impresor.

Impreso en Colombia   Printed in Colombia

Contenido

Introducción

En este práctico manual presentamos ocho sencillas técnicas, para activar nuestra intuición, ayudarnos a tomar decisiones y predecir el futuro. Estos métodos, tomados de culturas de todo el mundo, han superado la prueba del tiempo y siguen siendo herramientas para guiarnos en nuestro viaje por la vida.

La adivinación como guía en nuestra vida

La adivinación, o predicción de la suerte, no es una ciencia exacta sino un arte que se adapta a nuestras necesidades individuales. Su propósito es conocer el pasado, el presente, y, principalmente, el futuro, mediante el desarrollo de nuestra propia intuición y percepción. Incluye el uso de herramientas del oficio reconocidas desde la Antigüedad, como el Tarot y las Runas, así como los otros métodos de predicción descritos en este libro, para ponernos en contacto con la fuente de poder inexplorada que se esconde dentro de nosotros. Ella es nuestro contacto directo con una energía universal obtenida de la humanidad en el pasado, en el presente y en el futuro.

Posiblemente ya tenemos acceso a algunos canales intuitivos. ¿Cuántas veces "sentimos" instintivamente que algo va a suceder, o "sabemos" quién nos va a llamar por teléfono? Todos tenemos esta clase de premoniciones, y significa que inconscientemente nos conectamos con los niveles más profundos de información en nuestro interior. La adivinación nos pone en contacto inmediato con estas rutas del inconsciente. Nos permite acceder a poderes internos desconocidos que pueden ayudarnos a tomar decisiones y a señalar el camino hacia la claridad de pensamiento y de propósito, así como a predecir el resultado de cualquier situación o la respuesta a cualquier pregunta. Emprendamos esta exploración con mente abierta pero, sobre todo, con un corazón abierto.

La diosa romana Fortuna concede la buena suerte a un mendigo.

La predicción de la fortuna comienza desplegando las cartas del Tarot de una manera determinada.

Los orígenes de la predicción de la fortuna

La palabra "fortuna" viene del latín *fortuna*, que significa "suerte". Puede tratarse de buena suerte o de mala suerte. Sin embargo, siendo como es la naturaleza humana, todos deseamos buena suerte y buena fortuna. Este libro es una guía para el desarrollo de nuestra propia habilidad de hacer elecciones conscientes, sobre la base de lo que es "bueno" para el viaje de nuestra vida, y para convertir los sentimientos negativos, preocupaciones o temores en suerte positiva.

La diosa romana Fortuna era la personificación de la suerte. Se le adoraba bajo diversos nombres, entre ellos Fortuna Annonaria (para las buenas cosechas), y Fortuna Virilis (para atraer la buena fortuna a un hombre en su carrera). Pero no todo lo que emanaba de ella era bueno: podía ser Fortuna Dubia (indecisa), Fortuna Mala (total mala suerte) o Fortuna Brevis (fortuna caprichosa).

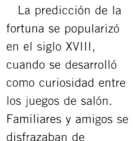

La predicción de la fortuna se popularizó en el siglo XVIII, cuando se desarrolló como curiosidad entre los juegos de salón. Familiares y amigos se disfrazaban de

Los cristales nos conectan con la vibración universal

"gitanos" y leían la mano de los demás o su suerte en las cartas. A comienzos del siglo XX esta clase de predicción de la fortuna se diferenció de la "adivinación" debido a los prejuicios sociales de la época. Los grupos ocultistas de aristócratas despreciaban a quienes predecían la fortuna, tildándolos de farsantes que se enriquecían a costa de las mujeres ingenuas y de las clases populares.

Predecir la fortuna personal es conocer de manera sencilla nuestra suerte actual y la que nos

Los hexagramas del I Ching nos revelan el destino.

depara el futuro. Si tomamos las decisiones correctas y comprendemos mejor nuestra autoconciencia, podremos atraer a nuestra vida la suerte positiva que deseamos.

Ventajas de la adivinación

Más que un juego de entretención social, la predicción de la fortuna personal es una manera reconocida desde tiempo atrás, de tener acceso a nuestro más profundo conocimiento interno. Las técnicas de este libro nos ayudan a adentrarnos en el futuro para aumentar el conocimiento de nosotros mismos, ayudarnos a tomar decisiones y programar más éxito y felicidad. Aquí aprenderemos:

- Cómo la lectura del Tarot en las mañanas puede ayudarnos a concentrar en las tareas más importantes del día.
- Lo que el nombre y fecha de nacimiento revelan sobre nuestro destino personal.
- Cómo explorar lo que varios aspectos de la mano revelan sobre nuestras futuras relaciones, carrera, talentos y temperamento.
- Cómo fabricar nuestras propias runas y usarlas para responder preguntas y tomar decisiones.
- Lo que los colores del aura muestran acerca de nuestros deseos secretos.
- Cómo utilizar el péndulo para tomar decisiones correctas.
- Cómo el I Ching nos ayuda a introducir cambios importantes en nuestra vida.
- Cómo los cristales del zodiaco pueden mostrarnos la ruta hacia un futuro feliz.

Cómo usar este libro

En este libro se describen ocho métodos básicos para predecir la fortuna. Los capítulos son independientes, pero podemos combinar varios métodos o concentrarnos en solo uno de ellos. Es posible que alguna técnica nos atraiga instantáneamente, por lo tanto no es necesario seguir estrictamente el orden de los capítulos comenzando con el Tarot y terminando con los cristales del zodiaco.

Ninguna técnica es más difícil que las demás; todo depende de con cuál nos sentimos mejor. Intentémoslas todas y pronto nos daremos cuenta de que algunas nos resultan más sencillas y naturales, mientras que para otras necesitaremos más práctica y estudio. A menudo estas últimas resultan más iluminadoras y satisfactorias cuando lleguemos a dominarlas.

Ante todo, confíe en usted mismo: tome el control de su propio destino y la buena fortuna será suya.

Las tiradas prácticas nos muestran cómo poner en práctica el conocimiento. La guía paso a paso nos ayuda a trabajar fácilmente con cada una de las técnicas y a hacer contacto con nuestra propia intuición.

Página del Tarot (12–13)

1 • EL TAROT

El Tarot le revelará su pasado, su presente y su futuro siempre y cuando usted acepte la responsabilidad derivada de sus propias decisiones. En cuanto comience a practicar con la carta del Tarot correspondiente a cada día, verá cómo ella se relaciona con la energía, experiencias y eventos de las siguientes 24 horas.

¿Qué le revela el Tarot sobre su futuro?

El Tarot revela su posible futuro. Es como mirarse en un espejo. Primero le indica sus esperanzas, sueños o aspiraciones, y lo que proyecta en el futuro. Luego le habla sobre las consecuencias de sus decisiones. Le será posible descubrir hacia dónde va y qué hace al respecto; cómo mejorar su estilo de vida, su vida sentimental o sus metas personales; y, en general, cómo desarrollar su propia habilidad para tomar decisiones y hacer las elecciones correctas.

El Tarot es un espejo objetivo. La indudable ventaja de esta clase de predicción, es que no podemos engañarnos... y las cartas jamás mienten.

Beneficios de utilizar el Tarot

* Conectarse inmediatamente con lo que realmente desea o necesita en la vida.
* Saber lo que su pareja siente por usted.
* Descubrir su potencial de desarrollo.
* Revelar las consecuencias de una situación actual.
* Descubrir una herramienta única para conocerse así mismo.
* Conocer los siguientes pasos de su viaje personal.

Historia del Tarot

El Tarot es un mazo de 78 cartas místicas. Durante cientos de años, ha sido uno de los senderos místicos más importantes de Occidente. Relacionado con la alquimia, la psicología, la astrología, la numerología,

la cabala, el misticismo cristiano, la filosofía oriental y muchas otras tradiciones esotéricas, el Tarot está al alcance de todos.

Los mazos de cartas místicas numeradas han existido desde hace mucho tiempo en la India y en el Oriente, y probablemente fueron llevadas a Europa por los Caballeros Templarios durante y después de las Cruzadas a Tierra Santa. También se dice que gitanos provenientes de Egipto llevaron el Tarot a Europa.

La mayoría de las fuentes afirman que los primeros mazos de Tarot aparecieron a comienzos del siglo XIV, como una combinación de los naipes italianos, con sus cuatro palos, y el paquete de extraños y más misteriosos Arcanos Mayores, cuyo origen permanece en el misterio.

El mazo del Tarot y cómo utilizarlo

El mazo del Tarot se compone de las cartas de los 22 Arcanos Mayores, más cuatro palos de 14 cartas cada uno, conocidos como los Arcanos Menores. Estos palos están numerados desde el As hasta el Diez, pero se diferencian de las cartas de juego comunes porque existen cuatro cartas de corte: Sota o Paje, Caballero, Reina y Rey. Si usted es principiante, utilice inicialmente sólo los 22 Arcanos

Mayores. Son símbolos muy poderosos y llegará a conocerlos muy fácilmente.

Siempre lea las cartas del Tarot en un lugar tranquilo. Concéntrese claramente en lo que desea conocer; encienda velas, queme incienso o escuche música suave para hacer más propicio el ambiente. Pero no intente hacer demasiadas lecturas sobre el mismo tema en un solo día, pues esto sólo le causará confusión.

La introducción nos presenta una visión general de la historia y las ventajas de cada una de las técnicas y de los diferentes métodos que tradicionalmente han sido utilizados. También nos indica lo que cada una de las herramientas puede revelarnos acerca del futuro.

Página de Runas (90–91)

Fehu
Propiedades

Significa prosperidad y posesiones personales. Es necesario analizar el precio que debemos pagar por tener lo que deseamos. Los logros materiales son importantes, pero recordemos compartir nuestra buena fortuna. Fehu también nos pide meditar sobre lo que en verdad valoramos. ¿Son nuestros valores los propios o hemos adoptado valores ajenos?

Invertida Frustración; abundan las sospechas y las dudas infundadas.

Uruz
Fortaleza

Tenemos la capacidad de sobreponernos a todos los obstáculos. Uruz es una runa de vitalidad y situaciones cambiantes. Pero no podemos ser pasivos. Con coraje e integridad personal podemos poner las circunstancias a nuestro favor. Es momento de abandonar el pasado y su carga emocional, aceptar los cambios y liberar nuestro potencial.

Invertida Las propias dudas y temores nos impiden alcanzar nuestro verdadero potencial.

Thurisaz
Reto

Esperemos un poco antes de tomar decisiones y evitemos actuar impulsivamente. Thurisaz nos previene sobre suponer que conocemos todas las respuestas. Debemos ser cautos y objetivos. Si buscamos el éxito personal, nuestra intuición nos indicará cuándo estamos en el lugar y momento correctos, y es entonces cuando debemos intentar ganar la medalla de oro.

Invertida Autodecepción evidente; lamentamos haber tomado una decisión apresurada.

Ansuz
Mensajes

La comunicación nos ayudará a perseguir nuestros sueños. El encuentro con extraños puede indicar felicidad futura. Hablemos, conozcamos y escuchemos para adquirir sabiduría, pero también esperemos lo inesperado. Una sorpresa podrá mejorar nuestra vida.

Invertida Hay alguien con intereses egoístas en quien no debemos confiar.

Página de Cristales del zodiaco (172–173)

TIRADAS CON LOS CRISTALES

También podemos usar tiradas con los cristales para responder preguntas precisas, para averiguar si somos compatibles con otra persona, o para conocer las situaciones que debemos solucionar en nuestra vida para alcanzar la felicidad futura.

Preparación

Para estas lecturas lo mejor es cubrir la mesa con una tela especial o con un pañuelo de seda. Como alternativa, el sitio más natural para leer los cristales es al aire libre: a la orilla del mar o en un jardín. Los cristales son particularmente poderosos en la época de luna creciente y luna llena, y en algunos momentos especiales del año como los equinoccios de primavera y otoño, y los solsticios de verano e invierno. Prepárese siempre con una técnica de meditación, quemando incienso o encendiendo velas; si, si está fuera, trace un círculo imaginario a su alrededor marcándolo con el índice a medida que hace un giro de 360°. Primero, trácelo en sentido de las manecillas del reloj, y luego en sentido contrario. De esta manera se protegerá usted y a sus cristales y revitalizará su energía para que resuene con el cosmos.

Tirada del destino

Esta tirada sencilla le permite averiguar cuáles situaciones debe resolver para obtener la felicidad futura.

* Saque cinco cristales de la bolsa, y colóquelos como se indica a la izquierda.

1 Su actual estado de ánimo
2 Su deseo futuro
3 Lo que realmente quiere
4 El problema que debe resolver
5 Consejo / resultado

CÓMO INTERPRETAR LA TIRADA
Cada cristal representa un aspecto diferente de su propio destino.

EJEMPLO
1 Su actual estado de ánimo – turquesa: está inquieto.
2 Su deseo futuro – malaquita: sueña con el éxito material.
3 Lo que realmente quiere – amatista: en su interior, desea más pasión para su vida.
4 El problema que debe resolver – cornalina roja: debe decidir cuáles de sus aspiraciones son realmente suyas.
5 Consejo/resultado – cristal claro de cuarzo: pronto tendrá claridad sobre sus metas verdaderas.

Tirada de la compatibilidad

Esta tirada es útil para saber si nuestra energía es compatible con la de otra persona. ¿Somos afines con ese nuevo amigo? ¿Podemos confiar en aquel colega incontrolable? ¿Esta nueva relación será el amor de nuestra vida?

Saque cinco cristales de la bolsa, de uno en uno, y dispóngalos como se muestra abajo.

1 Yo, ahora
2 El otro, ahora
3 Juntos, ahora
4 Mi prueba
5 Nuestro destino juntos

CÓMO INTERPRETAR LA TIRADA
* Cada cristal representa un elemento diferente de la relación.

EJEMPLO: **Hace poco recibió un ascenso en el trabajo, pero un colega que antes le mostraba amistoso ahora parece disgustado. ¿Podrán ser amigos de nuevo?**
1 Yo, ahora – ágata de encaje azul: Se siente como si hubiera sacrificado una amistad por sus metas. Hay muchos sentimientos en el trasfondo y usted no es feliz en el trabajo.
2 El otro, ahora – turmalina: Su colega es una persona compasiva y cálida, pero no se atreve a confesar que siente envidia de su éxito.

3 Juntos, ahora – ágata roja: Si se reúnen ahora, lo más probable es que tengan una gran discusión en la que ambos expresarán toda su ira y luego regresarán al trabajo, sintiéndose mal. La reunión no necesariamente resolverá la situación.
4 Mi prueba – lapislázuli: Su prueba consiste en expandir su mundo social, hacer nuevos amigos y contactos laborales, y reír. Muestre la persona progresista que usted es y valore a quienes lo rodean.
5 Nuestro destino juntos – ámbar: Su compañero pronto será lo suficientemente objetivo para darse cuenta de que su comportamiento es infantil y serán amigos nuevamente.

Todas las tiradas revelan información secreta de cada herramienta usada para predecir la fortuna.
Cada una de las cartas, cristales o hexagramas del I Ching tiene su propia interpretación, la que conoceremos fácilmente tan pronto empecemos a utilizar la información práctica.

TAROT

1 • EL TAROT

El Tarot le revelará su pasado, su presente y su futuro siempre y cuando usted acepte la responsabilidad derivada de sus propias decisiones. En cuanto comience a practicar con la carta del Tarot correspondiente a cada día, verá cómo ella se relaciona con la energía, experiencias y eventos de las siguientes 24 horas.

¿Qué le revela el Tarot sobre su futuro?

El Tarot revela su posible futuro. Es como mirarse en un espejo. Primero le indica sus esperanzas, sueños o aspiraciones, y lo que proyecta en el futuro. Luego le habla sobre las consecuencias de sus decisiones. Le será posible descubrir hacia dónde va y qué hacer al respecto; cómo mejorar su estilo de vida, su vida sentimental o sus metas personales; y, en general, cómo desarrollar su propia habilidad para tomar decisiones y hacer las elecciones correctas.

El Tarot es un espejo objetivo. La indudable ventaja de esta clase de predicción, es que no podemos engañarnos... y las cartas jamás mienten.

Beneficios de utilizar el Tarot

- Conectarse inmediatamente con lo que realmente desea o necesita en la vida.
- Saber lo que su pareja siente por usted.
- Descubrir su potencial de desarrollo.
- Revelar las consecuencias de una situación actual.
- Descubrir una herramienta única para conocerse así mismo.
- Conocer los siguientes pasos de su viaje personal.

Historia del Tarot

El Tarot es un mazo de 78 cartas místicas. Durante cientos de años, ha sido uno de los senderos místicos más importantes de Occidente. Relacionado con la alquimia, la psicología, la astrología, la numerología,

la cabala, el misticismo cristiano, la filosofía oriental y muchas otras tradiciones esotéricas, el Tarot está al alcance de todos.

Los mazos de cartas místicas numeradas han existido desde hace mucho tiempo en la India y en el Oriente, y probablemente fueron llevadas a Europa por los Caballeros Templarios durante y después de las Cruzadas a Tierra Santa. También se dice que gitanos provenientes de Egipto llevaron el Tarot a Europa.

La mayoría de las fuentes afirman que los primeros mazos de Tarot aparecieron a comienzos del siglo XIV, como una combinación de los naipes italianos, con sus cuatro palos, y el paquete de extraños y más misteriosos Arcanos Mayores, cuyo origen permanece en el misterio.

El mazo del Tarot y cómo utilizarlo

El mazo del Tarot se compone de las cartas de los 22 Arcanos Mayores, más cuatro palos de 14 cartas cada uno, conocidos como los Arcanos Menores. Estos palos están numerados desde el As hasta el Diez, pero se diferencian de las cartas de juego comunes porque existen cuatro cartas de corte: Sota o Paje, Caballero, Reina y Rey. Si usted es principiante, utilice inicialmente sólo los 22 Arcanos Mayores. Son símbolos muy poderosos y llegará a conocerlos muy fácilmente.

Siempre lea las cartas del Tarot en un lugar tranquilo. Concéntrese claramente en lo que desea conocer; encienda velas, queme incienso o escuche música suave para hacer más propicio el ambiente. Pero no intente hacer demasiadas lecturas sobre el mismo tema en un solo día, pues esto sólo le causará confusión.

Consejos prácticos

Hoy en día hay muchas clases de Tarot, relacionadas con cualquier cosa, desde gnomos hasta rock'n'roll. Es cuestión de gustos personales. Elija uno de los mazos tradicionales, como el Tarot de Rider Waite o el Tarot Universal, cuyas imágenes son más fáciles de comprender.

El cuidado de su mazo

No hay reglas especiales para el cuidado de sus cartas del Tarot, pero trátelas como a sus amigos. Al sacarlas de la caja por primera vez, colóquelas sobre una mesa limpia y permítales "respirar", irradiando su propia energía y absorbiendo la suya.

Conéctese con las cartas; tóquelas, levántelas, estúdielas. Tómese su tiempo, y cuando haya terminado guárdelas en la caja o envuélvalas en una bufanda de seda para protegerlas de energías negativas y de los nocivos rayos del Sol.

Cómo barajar las cartas

Barajar es simplemente un proceso que le permitirá elegir cada carta tan al azar como sea posible. Mientras baraja el mazo, concéntrese en el problema o pregunta particular que tenga en mente. Si no puede barajar las cartas como un mazo normal de naipes, colóquelas boca abajo sobre una mesa o en el piso y mézclelas en círculos hasta cuando su intuición le diga que están listas para hacer un montón con ellas. Luego, como toque final, puede cortar varias veces.

Cómo tirar las cartas

Coloque el paquete boca abajo sobre la mesa o en el suelo, y arrástrelas gradualmente hacia la izquierda o hacia la derecha hasta cuando tenga una larga fila de cartas superpuestas. En todo momento mantenga la concentración en su pregunta o problema. Cuando sienta que está listo, lentamente deslice sus dedos sobre las cartas y deténgase cuando sienta que literalmente una carta le está pidiendo que la levante. También puede cerrar los ojos, mientras se mantiene enfocado en su pregunta o problema.

Cartas invertidas

Existe gran debate sobre las cartas invertidas, es decir, las cartas que salen con la figura al revés. Si usted es principiante, le sugiero no preocuparse por el significado de las cartas invertidas ni pensar que son negativas. Voltéelas: le dirán justo lo que necesita saber.

Su propia lectura

Trate siempre de ser objetivo. Es muy fácil ver lo que se quiere ver cuando se leen las propias cartas. Pero el Tarot nunca miente, ¡sólo lo hacen las personas! De manera que consulte las interpretaciones y trabaje con las ideas alrededor de su pregunta o problema particular. Este libro es insuficiente para darle la interpretación completa de todos los Arcanos Menores (aunque en las páginas 28-31 aparecen las claves), por lo tanto trabaje primero con los Arcanos Mayores hasta llegar a conocer bien su significado.

A lo largo de las interpretaciones me refiero a las posiciones "pasado", "futuro", "consecuencias" y "usted ahora". Esto se debe a que en las tiradas que siguen (ver páginas 32-37) a menudo habrá una carta que representa el pasado, una que representa el futuro, una que representa las consecuencias, y una que le representa a usted ahora, o su situación actual.

Arcanos Mayores

Las cartas de los 22 Arcanos Mayores representan los símbolos más profundos, pero a la vez los más sencillos. "Arcano" significa secreto, y el arca era un baúl o caja profunda. Cuando utilice las cartas, imagine que llega al fondo del baúl en busca de sus secretos escondidos.

Cómo interpretar las cartas

Las siguientes interpretaciones para cada uno de los Arcanos Mayores le proporcionarán muy buenas bases para comenzar, pero lo que en realidad interesa es su propia interpretación. Observe cuidadosamente cada carta y piense si le gusta, si le disgusta o si le es indiferente. Tome notas sobre sus sentimientos y luego verifique los significados para ver cuáles son importantes en su vida.

Para facilitar la interpretación, en las páginas 17 a 27 se presentan varias palabras o frases clave para cada carta del Tarot.

Los 22 Arcanos Mayores están numerados de 1 al 21, más El Loco, sin número, pero que algunas veces se menciona como el 0.

Conozca los Arcanos Mayores

Cada mañana saque un Arcano Mayor para ver qué le depara el día, qué clase de tareas debe realizar o quién llegará a su vida. Más tarde, piense a qué se refería la carta. ¿Incidió de manera diferente a lo que usted intuyó en el primer momento o a la interpretación que le dio inicialmente?

Separe los Arcanos Mayores de las demás cartas. Verifique su respuesta para cada carta a medida que las vaya mirando. ¿Cuáles le gustan? ¿Cuáles le disgustan o le asustan? Trabaje primero con las imágenes e interpretaciones de las cartas que sobresalen en algún aspecto. Si desea consultar el Tarot para confirmar sus sentimientos o su intuición en relación con una situación, simplemente saque una carta sin necesidad de realizar la tirada. Busque la interpretación de la carta y relaciónela con su pregunta.

El Loco

El Mago

El Loco
Sin número

Claves Impulsividad, caprichos, ceguera ante la verdad, inocencia y pureza infantiles, presteza para saltar sobre cualquier cosa y vivir las aventuras como se presenten; optimismo permanente.

Interpretaciones Generalmente El Loco significa nuevos comienzos y entusiasmo infantil frente a la vida. Tenga cuidado pues podría enamorarse del amor y no fijarse a dónde conduce la relación. Esta carta denota una actitud inmadura frente a las relaciones o frente a la aptitud profesional. El Loco puede significar que no escuchamos consejos, y que descuidamos nuestras promesas y sentimientos. Es posible que no veamos los sufrimientos futuros o que corramos demasiado pronto hacia una nueva aventura, sin haber reflexionado lo suficiente. Hay que mirar bien antes de dar el salto.

El Mago
Arcano 1

Claves Iniciativa, persuasión: la sabiduría es la clave del éxito, pero no debemos engañarnos pensando que conocemos todas las respuestas.

Interpretaciones Adaptarse a las nuevas circunstancias, reorganizar las ideas y encontrar el camino correcto; es el momento de ser flexibles. Es posible que tengamos que guiar a un amigo o a nuestra pareja para que tomen las decisiones correctas. La persuasión es nuestra amiga, marquemos el ritmo e inspiremos a otros con nuestras ideas. Esta es una carta que dice "vaya y tómelo". Como carta del futuro, revela que pronto tendremos que demostrar que nos comunicamos de manera efectiva.

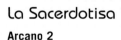

La Sacerdotisa
Arcano 2

Claves Secretos, sentimientos escondidos, intuición, el poder sanador femenino.

Interpretaciones Esta carta muestra que tenemos miedo de descubrir nuestros verdaderos sentimientos hacia otra persona.

Es el momento de desarrollar nuestra conciencia y usar la intuición en relación con lo que verdaderamente anhelamos y el camino que deseamos tomar. Nuestro corazón alberga muchos secretos y si aprendemos a mirar nuestro interior, encontraremos la verdad. ¿Le cuesta trabajo comunicar sus sentimientos hacia otra persona? La Sacerdotisa indica que pronto recibirá la iluminación en relación con un problema o que un secreto le será revelado.

La Emperatriz
Arcano 3

Claves Acción, desarrollo, sabiduría y vitalidad femeninos, placer sensual.

Interpretaciones Podemos estar seguros de salir adelante en nuestros propósitos, sin importar qué tan difícil parezca esta tarea. Si la pregunta se refiere a una relación, La Emperatriz le indica que es posible que debamos motivar o mimar a nuestra pareja. También puede sugerir la presencia de influencias femeninas negativas en nuestra vida. La riqueza material será importante en el futuro; pero también es tiempo de ser creativos y no simplemente suponer que todo le lloverá del cielo. La Emperatriz revela que no solo debemos pensar, sino sentir, cuál es nuestro camino en la vida.

El Emperador
Arcano 4

Claves Poder, autoridad, figura paterna; liderazgo y poder de la razón, insensibilidad frente a los demás, pasión, seguridad en sí mismo.

Interpretaciones Esta carta representa una influencia masculina, y frente a una pregunta relacionada con sociedades significa que tenemos la voluntad y la necesidad de tomar el control de la relación. Es hora de mantener los sentimientos personales alejados del temor a las críticas y tomar decisiones con base en los hechos. Como carta del futuro, significa que habrá atracción hacia una persona fuerte y dominante o hacia un profesional exitoso. También representa personas que sienten placer de ejercer poder sobre nosotros y amantes calculadores que pueden ser confiables en los negocios y en la cama, pero de quienes nunca conoceremos sus verdaderas motivaciones.

El Sumo Sacerdote
Arcano 5

Claves Cumplir las reglas, refrenar, respeto, enseñanza, normas y ceremonias tradicionales.

Interpretaciones Si se encuentra en la posición "usted ahora", indica que se encuentra muy apegado a su manera de hacer las cosas y no tiene la intención de adaptarse a los demás. Aferrarse al pasado significa no poder avanzar ni aceptar los cambios necesarios que mejorarán su vida. A menudo, el Sumo Sacerdote representa una persona en particular a quien conoceremos en el futuro: alguien que podrá darnos buenos consejos, o un gurú o maestro espiritual en quien confiar. También sugiere que conoceremos a alguien que nos dará la sensación de haberlo conocido antes y con quien nos identificaremos de inmediato. Pero no importa cuánto confiemos en nuestras propias creencias, hay otros que tienen su propia agenda.

Los Amantes

El Carro

Los Amantes
Arcano 6

Claves Amor, plenitud, elección, tentación, compromiso, el poder del amor y cómo se maneja.
Interpretaciones Las emociones dominan nuestra mente y es posible que llegue un nuevo romance sin siquiera buscarlo. Esta carta también indica que es tiempo de elegir una relación. ¿Usted se compromete? ¿Su pareja se comprometerá? ¿Ha tomado usted su propio rumbo? Si la carta se encuentra en la posición del futuro, es posible que los conflictos se resuelvan; pero también puede indicar que las tentaciones pondrán a prueba la firmeza de la relación actual. La carta también sugiere triángulos amorosos, o la necesidad de hacer una elección entre dos personas. Los Amantes nos piden reflexionar sobre lo que se entiende por amor y aceptar la responsabilidad de nuestras decisiones.

El Carro
Arcano 7

Claves Diligencia, voluntad, honestidad, perseverancia, control sobre sus sentimientos y pensamientos, ser atraído en dos direcciones opuestas y aprender a seguir la ruta correcta.
Interpretaciones Es posible que en la vida haya influencias contradictorias, pero hemos llegado a un punto donde podemos defender nuestras propias creencias y tomar decisiones con fundamento en nuestros deseos y no en lo que los demás piensan que es mejor para nosotros. Podremos tener éxito en cualquier empresa y superar todos los obstáculos que se interpongan en nuestro camino. Como carta del futuro, El Carro indica que la oportunidad y el control son esenciales para alcanzar nuestras metas, así que no permitamos que las riendas se escapen de nuestras manos.

La Justicia
Arcano 8

Claves Imparcialidad, armonía, igualdad,
se favorecen los pensamientos objetivos y
las relaciones equilibradas; la interacción
y la comunicación son esenciales.

Interpretaciones Es posible que esta carta
aparezca cuando debamos tomar una decisión,
y así podremos hacerlo desde un punto de vista
más racional que antes. Como carta del pasado,
La Justicia indica que estamos cosechando lo
sembrado y que las cosas tienden a mejorar.
Cualquiera sea el resultado de una serie de
eventos, ahora todo funcionará. En posición
del futuro, a menudo esta carta muestra
asuntos legales y solución de situaciones,
indicando resultados exitosos.

El Ermitaño
Arcano 9

Claves Discernimiento, discreción,
desprendimiento, retiro, búsqueda de sabiduría
interior, el conocimiento es una
responsabilidad, miedo a revelar un secreto.

Interpretaciones Debemos reflexionar
profundamente antes de tomar una decisión,
y evitar apresurarnos con planes que podrían
forzar a otros a hacer algo en contra de su
mejor criterio. Si se trata de una relación,
hay que pensarlo largamente antes de
comprometerse. Como carta del pasado,
El Ermitaño muestra que podemos haber
elegido olvidar ciertos hechos o nos negamos
a enfrentar la verdad. Como carta del futuro,
indica que tendremos que demorar nuestros
planes hasta cuando podamos discernir entre
lo que nos conviene y lo que no.

La Rueda de la Fortuna
Arcano 10

Claves Lo inevitable, suerte, oportunidad, nada hay más cierto en la vida que lo incierto, cada momento es un nuevo comienzo, lo único que permanece es el cambio mismo.

Interpretaciones Querámoslo o no, y sin importar lo que esté sucediendo, comienza una nueva etapa en nuestras vidas. No debemos temer al cambio, por el contrario, hay que aceptarlo por nuestra felicidad futura. La Rueda puede significar un capricho pasajero o un nuevo romance, escapar de una relación tormentosa o mejorar la existente. Es tiempo de lanzarnos al ruedo y aceptar las oportunidades que aparecen en el camino. Los eventos inesperados nos motivarán para cambiar nuestra vida de manera positiva.

La Fuerza
Arcano 11

Claves Valor, autoconciencia, poder personal, enfrentar la realidad, tomar control de su vida, aprender a ser responsables de nuestras acciones.

Interpretaciones Ahora necesitamos la fuerza y el valor de nuestras convicciones. Preparémonos para enfrentar con determinación cualquier amenaza. Si la carta aparece en la posición "usted ahora", es el momento de forzar una situación para lograr resultados. Si la pregunta se refiere al amor o a un romance, analicemos si estamos dando mucho de nosotros mismos o si no recibimos nada de nuestra pareja. Si La Fuerza está en posición del futuro, la autoconciencia y el valor nos traerán el éxito.

El Colgado
Arcano 12

Claves Transición, reajuste, estar a la expectativa, el sacrificio puede ser necesario, aburrimiento de la vida, relaciones estáticas.

Interpretaciones En posición "usted ahora", esta carta significa que nos encontramos en una encrucijada y es posible que debamos dar un paso atrás y analizar cuidadosamente todos los hechos involucrados, o simplemente salir de una rutina. Nos encontramos a la expectativa de lo que debemos hacer, o en un cese al fuego en medio de una relación conflictiva. El Colgado también nos advierte sobre los sacrificios. Está bien que estemos listos para apartar una mala influencia de nuestras vidas, pero pensemos con claridad si estamos siendo manipulados. Como carta del futuro, El Colgado nos indica que sufriremos un cambio de mentalidad y que tendremos que reajustar nuestros sentimientos.

La Muerte
Arcano 13

Claves Cambio, nuevos comienzos, transformación, final de un ciclo y comienzo de otro, abandonar los viejos valores, no temer ser auténticos con nosotros mismos.

Interpretaciones Con frecuencia los consultantes se asustan con esta carta, pero no debe tomarse literalmente. Morir simplemente significa que algo ha llegado al final de un ciclo; puede ser una relación amorosa, un empleo o un sistema de creencias que ahora debe ser revaluado o cambiado. Si aparece en posición "usted ahora", La Muerte puede significar que estamos en proceso de cambiar nuestra vida, pero tal vez nos preocupan las consecuencias. En posición del futuro, se relaciona con cambios inminentes que nos traerán vitalidad y un nuevo yo en todos los aspectos.

La Templanza
Arcano 14

Claves Autocontrol, compromiso, moderación, virtud, combinación de ideas, armonía y comprensión.

Interpretaciones Esta carta indica que nuestras relaciones mejoran. Existe armonía entre nuestros deseos y nuestras necesidades, y estamos equilibrados mental y emocionalmente. Si tratamos de tomar alguna decisión, encontraremos una solución y nos será más fácil ver el punto de vista de los demás. Como carta "usted ahora", La Templanza indica que con nuestro autocontrol y disposición para el compromiso influimos positivamente en otros. Como carta del futuro, aconseja moderar nuestros impulsos y tratar de ver los dos lados de la moneda. Llega la claridad sobre nuestras verdaderas metas y aspiraciones.

El Diablo
Arcano 15

Claves Ilusión, tentación sexual, amor por lo material, sed de dinero o ansias de poder.

Interpretaciones Cuando esta carta aparece en la posición "usted ahora", puede simplemente denotar nuestra atracción hacia una persona por ambición o interés económico. O estamos atrapados en una relación confundiendo deseo sexual con amor. Como carta del futuro, El Diablo indica nuestra necesidad de luchar contra la tentación de materialismo o poder y tener cuidado de no dejarnos arrastrar por personas que desean controlarnos o imponer su poder. Algunas veces esta carta revela que actuamos como niños, sin tener conciencia de las consecuencias de nuestros actos.

La Torre
Arcano 16

Claves Problemas externos, eventos inesperados, ruptura con lo viejo para anunciar lo nuevo, aceptación de que ninguna defensa garantiza total protección, aprender a adaptarse y a ajustar nuestras vidas.

Interpretaciones Cuando esta carta sale en la tirada, indica que se han presentado, o se presentarán, situaciones externas que traerán un cambio inesperado. Aparentemente es cosa del destino y no somos responsables de lo que acontece. La Torre revela que llega a nuestras vidas un catalizador o influencia externa que provoca estos cambios. Puede tratarse de una persona o de un conjunto de circunstancias fuera de nuestro control. Los sentimientos pueden ser de liberación o de malestar, pero ahora tenemos la fuerza suficiente para adaptarnos y seguir adelante.

La Estrella
Arcano 17

Claves Inspiración, amor ideal, verdad revelada, sueño hecho realidad; interiorización y creer en nosotros mismos son aspectos esenciales para alcanzar la felicidad.

Interpretaciones Esta carta manifiesta todo lo relacionado con el optimismo. Si realmente creemos y confiamos en nosotros mismos, podremos crear nuestras propias oportunidades. La Estrella es positiva en todas las tiradas e indica éxitos en el amor, en el trabajo o en las aspiraciones financieras. Como carta del futuro, indica que nos llegará una revelación de la mejor manera posible. Esta carta solo muestra inconvenientes cuando se encuentra en la posición de lo que nos limita, y significa que nuestras expectativas son tan altas que nadie, ni nosotros mismos, puede alcanzarlas por ahora.

La Luna

El Sol

La Luna
Arcano 18

Claves Intuición, emoción, autodecepción, advertencia, relación amorosa con engaños, ceguera ante la verdad, sueños irreales.

Interpretaciones Esta es una carta compleja pues su propia naturaleza es la decepción. Debemos siempre interpretar La Luna primero como una advertencia de que las cosas pueden no ser lo que parecen. Quizás estemos equivocados, nuestro juicio no es claro o alguien trata de aprovecharse de nosotros. Tratemos de utilizar nuestra intuición más que nuestra imaginación (son muy diferentes). Como carta del futuro, La Luna significa que alguien será deshonesto: nosotros mismos, nuestra pareja o algún amigo. También indica que involucrarnos tanto en nuestras emociones y sentimientos nos impide ver la verdad de manera clara y racional.

El Sol
Arcano 19

Claves Comunicación, compartir, felicidad, alegría, energía positiva, creatividad.

Interpretaciones Como carta "usted ahora", El Sol indica que es el momento de comunicar nuestros sentimientos y exteriorizar nuestros sueños. Es una carta positiva y siempre significa éxito y felicidad. Ahora podemos aceptar a nuestros amigos o a nuestra pareja por lo que son. Como carta del futuro, indica que podemos esperar ser más felices, más amantes de la diversión y liberarnos de dudas y miedos del pasado. Comenzará una relación plena (no necesariamente íntima) que influirá positivamente en nuestra vida. Como carta de limitación, El Sol significa que podemos estar exagerando nuestro estado de felicidad, o mirando únicamente la parte superficial.

El Juicio
Arcano 20

Claves Liberación, expiación, transformación, responsabilidad por las acciones del pasado, reevaluación y renovación, dejar los viejos valores y adoptar nuevos; aceptar las cosas como son, sin culpar a nadie ni a nosotros mismos.

Interpretaciones El Juicio indica que nos estamos liberando de viejas actitudes relacionadas con nuestra pareja, con nuestra familia o con patrones o comportamientos que no han sido correctos para nosotros. Ahora comprendemos cómo manejar nuestras relaciones. Es nuestra oportunidad de comenzar de nuevo, soltar el pasado y dejar de sentirnos culpables por nuestras acciones. Como carta del futuro, El Juicio muestra que tendremos que tomar decisiones enfrentando los hechos y no tratando de evitarlos.

El Mundo
Arcano 21

Claves Plenitud, realización, libertad, amor cósmico, liberación de los temores, recompensa por el trabajo arduo y el esfuerzo, tiempo de celebración nuestra y de otros.

Interpretaciones Carta positiva en todas las tiradas. El Mundo significa que hemos llegado a aceptarnos a nosotros mismos, nuestro sentido de los valores individuales y la manera como nos relacionamos con los demás. También puede significar que hemos encontrado la pareja ideal o la vocación perfecta, y no hay vuelta atrás. Como carta del futuro, indica que podemos esperar el éxito en nuestras relaciones y en todas las empresas creativas. Algunas veces esta carta se interpreta como "eres el amo del mundo". Estamos a punto de embarcarnos en el viaje de nuestras vidas, literalmente, o referido a una nueva actividad.

Arcanos Menores

Los Arcanos Menores están compuestos por cuatro palos: Bastos, Copas, Espadas y Oros, o Pentáculos, muy parecidos a los de una baraja ordinaria de juego, excepto porque hay cuatro cartas de corte: Sota o Paje, Caballero, Reina y Rey. A continuación presentamos las claves para su interpretación.

Claves para la interpretación de los Arcanos Menores

BASTOS

As de Bastos
Iniciativa, creatividad

Dos de Bastos
Aventura, inspiración

Tres de Bastos
Deliberación, aspiraciones

Cuatro de Bastos
Prosperidad, realización

Cinco de Bastos
Competencia, retos

Seis de Bastos
Confianza en sí mismo, buenas noticias

Siete de Bastos
Perseverancia, beneficio

Ocho de Bastos
Cambio de planes

Nueve de Bastos
Fortaleza para enfrentar los retos

Diez de Bastos
Limitaciones autoimpuestas

Sota de Bastos
Osadía, energía, un admirador joven

Caballero de Bastos
Aventura, riesgo, un nuevo amor

Reina de Bastos
Éxito creativo, una mujer de visión

Rey de Bastos
Lealtad, un hombre honesto

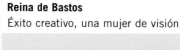
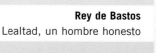

Reina de Espadas

Sota de Copas

COPAS

As de Copas
Amor, felicidad, fertilidad

Ocho de Copas
Retirarse, el amor se acaba, avanzar

Dos de Copas
Romance, claridad, unión sexual

Nueve de Copas
Satisfacción, complacencia de sí mismo

Tres de Copas
Celebración, abundancia

Diez de Copas
Felicidad emocional, éxito

Cuatro de Copas
Sensibilidad, seducción

Sota de Copas
Un hombre sensible, una nueva relación

Cinco de Copas
Desequilibrio emocional, desilusiones

Caballero de Copas
Un mensajero, una invitación de amor

Seis de Copas
Nostalgia, buenos recuerdos

Reina de Copas
Integridad emocional, una mujer elegante

Siete de Copas
Ilusiones, idealismo

Rey de Copas
Amor incondicional, un socio creativo

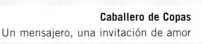

ESPADAS

As de Espadas
Innovación, priorizar las ideas

Ocho de Espadas
No querer ver la verdad, falta de definición

Dos de Espadas
Punto de vista equilibrado

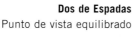

Nueve de Espadas
Estar abrumado por pensamientos negativos

Tres de Espadas
Las emociones no dejan ver la verdad

Diez de Espadas
Traición mental

Cuatro de Espadas
Tranquilidad, reflexionar con objetividad

Sota de Espadas
Un pensador inteligente, un empresario

Cinco de espadas
Defender el punto de vista propio

Caballero de Espadas
Ideas aventureras, un héroe romántico

Seis de Espadas
Progreso, ir hacia momentos de tranquilidad

Reina de Espadas
Persona conciliadora, una mujer inteligente

Siete de Espadas
Objetivos irreales, demasiadas ideas

Rey de Espadas
Mente poderosa, un hombre con buen juicio

Caballero de Bastos

Caballo de Espadas

OROS

As de Oros
Abundancia, satisfacción

Dos de Oros
Malabarismos financieros, cambios

Tres de Oros
Acopio de recursos, actuar con habilidad

Cuatro de Oros
El poder de las posesiones

Cinco de Oros
Sensación de abandono, inseguridad material

Seis de Oros
Regalos, compartir la prosperidad

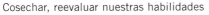

Siete de Oros
Cosechar, reevaluar nuestras habilidades

Ocho de Oros
Talento creativo, trabajo duro

Nueve de Oros
Metas razonables, éxito material

Diez de Oros
Familia amorosa, riqueza material

Sota de Oros
Confianza en su talento, progreso

Caballero de Oros
Éxito, un enamorado próspero

Reina de Oros
Crianza, placer, un alma femenina

Rey de Oros
Negocios, logros, un empresario

Tiradas

Las siguientes son tiradas sencillas para principiantes. Piense en la pregunta o problema. Las primeras cuatro tiradas le darán respuestas para el futuro cercano, y solo utilizan Arcanos Mayores; las últimas dos se usan para situaciones a más largo plazo. Cuando se sienta cómodo, incorpore a las tiradas los Arcanos Menores.

Tirada de la Fortuna

Esta tirada le ayudará a comprender dónde se encuentra, qué obstáculos o influencias lo están afectando y hacia dónde se dirige.

- Baraje todas las cartas. Despliéguelas boca abajo sobre la mesa. Elija las cartas de una en una mientras se concentra en la pregunta o problema.
- Coloque las cartas hacia arriba en el orden que se indica a continuación. Gire las cartas invertidas, frente a usted.

1 Usted ahora
2 Obstáculos
3 Influencias recientes
4 Consecuencia

CÓMO INTERPRETAR LA TIRADA

- La primera carta representa "usted ahora", su actual estado de ánimo y los aspectos alrededor de su pregunta.
- La segunda carta representa las limitaciones u obstáculos (psicológicos o físicos) que le afectan, sea usted consciente de ellos o no.
- La tercera carta se refiere a hechos recientes que le han afectado.
- La cuarta carta representa las consecuencias.
- A medida que observe la tirada, verifique las claves para cada una de las cartas y luego las interpretaciones que se han dado en las páginas 17 a 31. Trate de ser objetivo. Siempre es útil crear una corta historia alrededor de las cartas.

EJEMPLO: **¿Me conviene terminar con una relación amorosa?**

1 Usted ahora – El Diablo: Se trata de una relación que gira alrededor de la atracción sexual.
2 Obstáculos – El Sol: Usted exagera la parte divertida de la situación y no mira lo que puede haber más allá.
3 Influencias recientes – El Mundo: Hasta ahora lo ha pasado muy bien, pero ¿durará para siempre?
4 Consecuencias – La Luna: Confíe en sus instintos relacionados con lo que desea. No cierre los ojos ante la verdad, pues de lo contrario sufrirá más decepciones.

El Carro   El Sol   La Estrella

2   3

1

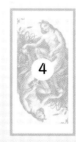 

4   5

Tirada "¿Qué necesito?"

Se trata de una tirada sencilla pero muy reveladora, a utilizar cuando no se sienta seguro de lo que necesita o hacia dónde se dirige. Sea honesto consigo mismo y recuerde que sus necesidades y deseos cambian con el tiempo.

• Baraje las cartas como antes, concentrándose en usted mismo.

• Coloque las cartas en el orden indicado a la derecha, mirando hacia arriba.

1 ¿Quién soy? (en este momento)
2 ¿Qué / a quién necesito?
3 ¿Qué / a quién no necesito?
4 Opciones disponibles
5 Dirección futura

CÓMO INTERPRETAR LA TIRADA

• La primera carta representa "usted ahora".

• La segunda carta refleja los aspectos positivos que necesita en su vida: una clase especial de pareja, una relación, un trabajo, un estilo de vida, etc.

• La tercera carta refleja las cosas que no necesita, que crean conflictos en su vida, tales como ciertas personas, situaciones o trabajos.

• La cuarta carta le muestra cómo manejar la situación y las diferentes opciones entre las que puede elegir.

• La quinta carta lo guía hacia las decisiones a tomar, para ponerlo en el camino correcto.

EJEMPLO

1 ¿Quién soy? – La Torre: Atraviesa un período de problemas y su confianza se ha socavado por eventos imprevistos.

2 ¿Qué / a quién necesito? – El Emperador: Una pareja fuerte, activa, independiente, o autosuficiencia en su carrera.

3 ¿Qué / a quién no necesito? – El Loco: Un amigo o enamorado frívolo, o tomar riesgos.

4 Opciones disponibles – La Fuerza: Valor y honestidad para buscar lo que en verdad necesita.

5 Dirección futura – La Rueda de la Fortuna: Un encuentro casual podría cambiar su vida, así que no ignore lo que se le ofrece.

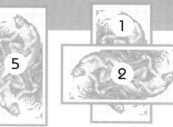

Tirada de las siete cartas místicas

Basada en la Cruz Celta, esta tirada le permite analizar más profundamente cualquier interpretación. Coloque las cartas en el orden indicado a la derecha, mirando hacia arriba.

1 Usted ahora
2 Obstáculos
3 Expectativas
4 Experiencias pasadas que influyen en el futuro
5 Influencias recientes
6 Resultado inmediato
7 Consecuencias

CÓMO INTERPRETAR LA TIRADA

- La primera carta revela lo que pasa actualmente en su vida, cómo se siente en general y su pregunta o problema.
- La segunda carta representa las dificultades que se le presentan. Esta posición en cruz contiene la clave de toda la tirada; trate de interpretar las dos primeras cartas juntas.

EJEMPLO: **No me siento seguro acerca de mi relación actual y de lo que va a suceder.**
1 Usted ahora – La Justicia.
2 Obstáculos – El Carro: Todo parece fluir fácilmente (La Justicia), pero su necesidad de controlar (El Carro) está alterando el equilibrio. También puede suceder que los viajes frecuentes o un estilo de vida muy ajetreado estén llevando la relación a un punto más inestable de lo que usted piensa.

- Enseguida interprete las dos cartas del pasado, 4 y 5: La cuarta, en relación con las experiencias pasadas y la quinta sobre los eventos recientes que pudieren necesitar ser resueltos.
- Ahora interprete las dos cartas del futuro, 3 y 6: Sus aspiraciones y anhelos secretos, y los eventos inminentes y sus influencias.
- Finalmente, la carta de consecuencias, 7. Esta es una carta para la toma de decisiones que define la acción en relación con su pregunta y le indica a dónde le conducirá.

EJEMPLO
7 Consecuencias – La Templanza: Debe aprender a comprometerse y a confiar, y a moderar sus deseos personales si quiere que sus planes tengan éxito.

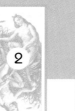

Tirada de las relaciones

Esta tirada le ayudará a comprender una relación en un momento determinado, identificando sus aspectos positivos y negativos, y la clave de su futuro.

• Baraje todas las cartas como antes, pensando claramente en su relación antes de sacarlas.
• Coloque las cartas en el orden que se muestra a la derecha, mirando hacia arriba.

1 Energía de la relación
2 Su comunicación
3 Su fortaleza
4 Su debilidad
5 La realidad
6 La pasión
7 La clave del futuro

CÓMO INTERPRETAR LA TIRADA

• Cada carta representa la dinámica de la relación. Recuerde que las relaciones se desarrollan continuamente, así que también debe estar preparado para el cambio de las dinámicas. Esta tirada representa el "cuarto de máquinas" de la relación y le muestra si los componentes funcionan.

EJEMPLO: **Tengo una relación, pero quiero conservar mi libertad; ¿funcionará mejor la relación de esta manera?**

1 Energía de la relación – La Templanza: En este momento, la energía es armónica y está en equilibrio.

2 Su comunicación – La Estrella: Comparten los mismos ideales y pueden comunicarse bien.

3 Su fortaleza – El Sol: La fortaleza de la relación está en su energía, juguetona y alegre, de manera que disfrútela como es.

4 Su debilidad – El Carro: Los dos llevan vidas muy ocupadas, con metas importantes, que ejercen presiones sobre uno de ustedes o sobre ambos.

5 La realidad – La Sacerdotisa: Usted está más comprometido emocionalmente de lo que quiere admitir.

6 La pasión – El Colgado: Sexualmente, la relación se encuentra a la expectativa. ¿Hacia dónde seguir a partir de este punto? ¿Es posible mantener la pasión?

7 La clave del futuro – Los Amantes: La relación se mantendrá viva sobre la base de la honestidad mutua, la libertad y las elecciones conjuntas.

Tirada del zodiaco

El fundamento de esta tirada son las casas zodiacales. Muestra las experiencias que puede esperar para el próximo mes en todas las áreas de su vida.

- Baraje las cartas como se indicó, pensando en el próximo mes antes de seleccionarlas.
- Coloque las cartas en el orden que se indica en el diagrama, mirando hacia arriba.

1 Su búsqueda personal
2 Dinero, valores, posesiones
3 Amistades
4 Hogar
5 Romances, creatividad, hijos
6 Rituales, imagen corporal, niveles de energía, salud
7 Relaciones, amor
8 Sexualidad
9 Viajes
10 Profesión
11 Metas en el largo plazo
12 El pasado

CÓMO INTERPRETAR LA TIRADA

Cada carta representa un aspecto de cada mes.

EJEMPLO

1 Su búsqueda personal – El Ermitaño: Se requiere discreción, de manera que debe ser reflexivo antes que impulsivo en sus relaciones.

2 Dinero, valores, posesiones – La Emperatriz: Desde lo material, será una buena época y sus finanzas se harán más flexibles.

3 Amigos – Dos de Espadas: Le será difícil acercarse a un amigo.

2 Hogar – Tres de Oros: Hora de ser recursivo para evitar grietas en la relación familiar.

4 Romance, creatividad, hijos – As de Oros: Romance satisfactorio.

5 Rituales, imagen corporal, niveles de energía, salud – La Templanza: Siga una dieta.

6 Relaciones, amor – As de Espadas: Una nueva idea mejora sus habilidades de conquista.

7 Sexualidad – Rey de Copas: Usted es sensible a las necesidades sexuales de su pareja.

8 Viajes – El Colgado: ¡No puede decidir de dónde colgarse!

9 Profesión – La Justicia: Buenos trabajos.

10 Metas en el largo plazo – La Estrella: Encuentra la manera de alcanzar sus metas.

11 El pasado – Rey de Espadas: Una onda expansiva del pasado golpea su vida y se aleja de nuevo.

La Luna

La Rueda de la Fo...

Los Amantes

El Juicio

Tirada de la herradura

Esta tirada añade un elemento adicional de consecuencias futuras a las cartas, al indagar sobre lo esperado y lo inesperado. Era una de las tiradas favoritas entre los adivinadores gitanos.

- Baraje las cartas como antes, concentrándose en su pregunta o problema, antes de hacer la selección.
- Coloque las cartas en el orden que se indica a la derecha, mirando hacia arriba.

1 Situación actual
2 Lo esperado
3 Lo inesperado
4 Consecuencia inmediata
5 Consecuencia en el largo plazo

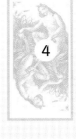

CÓMO INTERPRETAR LA TIRADA

- Cada carta representa un aspecto diferente de su pregunta o problema.

EJEMPLO: **Estoy pasando por un cambio en mi profesión. ¿Qué debo hacer?**

1 Situación actual – El Mago: Convierta los hechos en situaciones a su favor, investigue y luego decida cuál es su verdadera profesión.

2 Lo esperado – Seis de Bastos: Usted supone que será difícil hacer algo diferente, o que se presentarán confrontaciones o resentimientos con sus amigos o familiares.

3 Lo inesperado – Tres de Copas: Una fiesta sorpresa, una celebración o evento social darán un giro positivo a la situación y recibirá una respuesta.

4 Consecuencia inmediata – Los Amantes: Comienza a comunicarse con los contactos adecuados y a ver hacia dónde se dirige.

5 Consecuencia en el largo plazo – La Emperatriz: Su decisión de seguir una profesión creativa le traerá gran alegría y muchos éxitos.

NUMEROLOGÍA

2 • NUMEROLOGÍA

Siente que algún número aparece en su vida más que otros? Es posible que usted viva en el apartamento número 3, que su hermana haya nacido el tercer día del tercer mes y que usted tenga tres amigos especiales. La numerología es el antiguo arte de la adivinación basado en el poder de determinados números.

¿Qué revela la numerología sobre nuestro futuro?

El alfabeto ofrece un código secreto para cada uno de los números de un digito, del 1 al 9, que se ha usado durante miles de años como fórmula mágica para predecir la fortuna. Según Pitágoras, el padre de la numerología, los números, especialmente aquellos entre el 1 y el 9, resuenan con las poderosas vibraciones del universo.

La numerología nos permite descubrir la combinación de números que es única para cada uno de nosotros, para sintonizarnos directamente con la vibración universal y descubrir más acerca de nuestros deseos ocultos, nuestro destino y nuestra personalidad. También podremos descubrir las fechas apropiadas para actuar, qué clase de año podemos esperar y cuáles son los mejores días para tomar decisiones, cuando nuestro número personal vibre en armonía con el número universal. La numerología también podrá ayudarnos a determinar si una nueva dirección, lugar de trabajo o posible pareja, estarán armonizados con nuestra vibración numérica especial.

Beneficios de la numerología

El uso de la numerología nos permite:
- Determinar nuestro camino en la vida y seguir nuestra vocación.
- Encontrar compañeros, lugares de trabajo y direcciones que sean compatibles con nosotros.
- Conocer las mejores fechas para tomar decisiones y realizar determinadas actividades.
- Identificar nuestros deseos más ocultos.
- Cambiar nuestro nombre y su destino como mejor nos convenga.
- Conocer los retos que debemos enfrentar y superar.

Historia de la numerología

Muchas culturas antiguas creyeron en el significado y poder de los números, especialmente griegos y hebreos quienes desarrollaron los sistemas que se utilizan en la numerología moderna. Fue el matemático y filósofo griego Pitágoras quien escribió, en el siglo VI a.C.: "Los números son lo primero que existe en la naturaleza". Su teoría era que todo estaba simbolizado por, o se reducía a, un número. Los números no solo tenían importancia matemática, sino que eran el centro de todo lo que existe en el universo: eran la llave de toda sabiduría. Cada uno de los números primarios, del 1 al 9, vibra a una frecuencia diferente y tales vibraciones resuenan en todo el universo. Esta "música de las esferas" era una expresión de los cuerpos celestiales, que tenían su propio valor numérico y vibración armónica.

Varios símbolos son usados por diferentes culturas para representar los números, pero el sistema pitagórico, basado en los nueve números primarios, es el más común. Al encontrar nuestro "número natal" (por la fecha de nacimiento) y nuestro "número nominal" (por el nombre), conoceremos nuestro propósito de vida y nuestros talentos, así como el curso más probable de nuestro futuro.

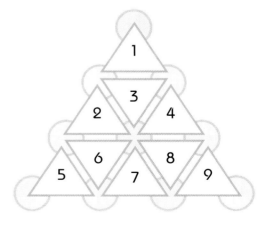

Arriba: Patrón de diez guijarros, correspondiente al sistema de números pitagóricos.

Izquierda: Números sagrados egipcios descubiertos en Karnak.

Los cuatro números de mayor importancia en nuestra vida

Existen cuatro números clave (personalidad, destino, motivación y expresión) que determinan los diferentes aspectos de nuestra vida y de nuestro carácter.

Número de personalidad

Se obtiene a partir del nombre. Describe nuestro carácter, las calidades con que interactuamos en el mundo (tanto fortalezas como debilidades) y también nuestras habilidades. Revela la manera en que manejamos los retos, tomamos decisiones y nos relacionamos con los demás.

Número de motivación

Este número se obtiene a partir del valor numérico de las vocales del nombre. Revela nuestros deseos secretos, nuestros sentimientos, ideales y fantasías.

Número de nacimiento o de destino

Este número se obtiene a partir de la fecha de nacimiento; es un número que no podemos modificar, gústenos o no. Se refiere a nuestro viaje por la vida y a los retos, acontecimientos y experiencias que encontraremos con mayor frecuencia. Indica nuestra verdadera vocación y nuestro potencial innato.

Número de expresión

Se calcula a partir del valor numérico de las consonantes del nombre. Revela la imagen que proyectamos al mundo. No es necesariamente compatible con nuestro yo secreto.

Para conocer el número de personalidad

Es importante trabajar con el nombre por el que somos conocidos, o el nombre por el que nos gustaría ser conocidos. Por ejemplo, una chica fue bautizada como Victoria Elizabeth Smith, pero prefiere que le llamen Vicky Smith; se casó, y ahora todos sus amigos y familiares la conocen como Vicky Jones, y este es su nombre favorito. ¿Con cuál nombre nos sentimos más cómodos? Si nos disgusta nuestro nombre y preferimos que nos llamen por un apodo o por otro nombre, para el cálculo utilicemos este último.

Un ejercicio interesante es trabajar el número de personalidad primero a partir de nuestro nombre de pila; luego, si lo hemos cambiado de cualquier manera, trabajar con el nuevo número y analizar en qué son diferentes. Es posible que hayamos cambiado nuestro nombre de manera inconsciente para alterar nuestra vida de alguna manera, para adaptarnos a las personas que nos rodean o para sobresalir entre la multitud.

- Para hallar el núnero de personalidad mediante el código del alfabeto pitagórico (abajo) todo lo que tiene que hacer es buscar a qué número corresponde cada una de las letras de su nombre; sume los números, y luego reduzca el resultado a un solo dígito, entre 1 y 9.
- Por ejemplo: Supongamos que el nombre que más le gusta es Becky Green:
  B = 2, E = 5, C = 3, K = 2, Y = 7
- Luego, 2 + 5 + 3 + 2 + 7 = 19
- G = 7, R = 9, E = 5, E = 5, N = 5
- Luego, 7 + 9 + 5 + 5 + 5 = 31
- Sume el número del nombre al número del apellido: 1 + 9 + 3 + 1 = 14
- Reduzca el resultado a un dígito: 1 + 4 = 5
- Es decir, el número de personalidad para Becky Green es 5.

Código del alfabeto pitagórico

1	2	3	4	5	6	7	8	9
a	b	c	d	e	f	g	h	i
j	k	l	m	n	o	p	q	r
s	t	u	v	w	x	y	z	

Becky   Green
25327 = 19   79555 = 31
1+9+3+1 = 14
1+4 = 5

Para conocer el número de destino

Por cuanto este número se calcula a partir de la fecha de nacimiento y no se puede cambiar, nos revela la misión que debemos cumplir en la vida. Mientras más luchemos contra la energía vibratoria de este número, encontraremos más retos que debemos superar. La mejor manera de hacer de nuestra vida lo que queremos que sea es expresar las asociaciones de nuestro número a través de nuestro estilo de vida, trabajo y relaciones. Nuestro número de destino es el más fácil de calcular.

Sume todos los números de su fecha de nacimiento. Supongamos que nació el 16 de junio de 1984. Escriba la fecha de forma numérica, y luego sume los números, así:

$1 + 6 + 6 + 1 + 9 + 8 + 4 = 35$

Reduzca el número a un dígito: $3 + 5 = 8$

Su número de destino es 8.

Fecha de nacimiento
16 Junio 1984
$1 + 6 + 6 + 1 + 9 + 8 + 4 = 35$
$3 + 5 = 8$

Becky Green
$- 5 - - - \quad - - 55 -$
$5 + 5 + 5 = 15$
$1 + 5 = 6$ (número de motivación)

Becky Green
$2 - 3 2 7 \quad 7 9 - - 5$
$2 + 3 + 2 + 7 + 7 + 9 + 5 = 35$
$3 + 5 = 8$ (número de expresión)
6 (motivación) $+ 8$ (expresión) $= 14$
$1 + 4 = 5$ (número de personalidad)

Para conocer los números de motivación y de expresión

- Escriba las vocales de su nombre. En el ejemplo de Becky Green, serían: e, e, e.
- Escriba las consonantes: b, c, k, y, g, r, n
- Para hallar el número de motivación, sume el valor numérico de las vocales: $5 + 5 + 5 = 15$
- Reduzca la cifra a un dígito: $1 + 5 = 6$
- Por lo tanto, el número de motivación de Becky Green es 6.
- Para hallar el número de expresión, sume el valor numérico de las consonantes:
  $2 + 3 + 2 + 7 + 7 + 9 + 5 = 35$
- Reduzca la cifra a un dígito: $3 + 5 = 8$
- El número de expresión de Becky Green es 8.
- Verifique que el resultado sea correcto, sumando el número de motivación y el número de expresión; el resultado debe ser el número de personalidad. En este caso, 6 (motivación) + 8 (expresión) = 14, y $1 + 4 = 5$ (número de personalidad).

Cómo usar la numerología

Si los números de personalidad y destino son ambos pares o ambos impares, se dice que están en armonía el uno con el otro. Pero si uno es par y el otro impar, puede suceder que nuestro viaje por la vida choque con nuestra personalidad y carácter.

Cambio de nombre

Si el número de personalidad no es compatible con nuestro número de destino (uno es par y el otro impar), es posible cambiar nuestro nombre agregando una letra, quitando otra o tomando un sobrenombre que nos dé el número de vibración correcto. Así lograremos que los dos números compatibles trabajen en armonía y que nuestra vida transcurra sin contratiempos. Es sorprendente cómo, si cambiamos nuestro nombre, mejoramos nuestra vida sólo con el poder de las vibraciones numéricas.

También podemos verificar si otro nombre que tomemos será compatible con nuestro número de destino; y así escoger nombres para empresas, bebés, mascotas, ¡e inclusive para best-sellers! Sin embargo, primero debemos familiarizarnos con nuestros propios números y así pronto sabremos con cuáles otros estamos en armonía.

$$Beckie \qquad Greene$$
$$253295 = 26 \qquad 795555 = 36$$
$$2+6+3+6 = 17$$
$$1+7 = 8$$

Para que el número de personalidad de Becky esté en armonía con su número de destino, Becky cambió la manera de escribir su nombre a BECKIE GREENE.
$2 + 5 + 3 + 2 + 9 + 5 = 26$
$7 + 9 + 5 + 5 + 5 + 5 = 36$
$2 + 6 + 3 + 6 = 17 \quad 1 + 7 = 8$

Ahora la vida de Beckie debe fluir más fácilmente puesto que su número de personalidad está en armonía con su número de destino, 8.

$$Two \qquad Timing$$
$$256 = 13 \quad 294957 = 36$$
$$1+3 = 4 \qquad 3+6 = 9$$
$$9+4 = 13$$
$$1+3 = 4$$

- Beckie Greene escribió una novela romántica. Para asegurar el éxito del libro, la tituló "Two Timing".
  $2 + 5 + 6 = 13$
  $1 + 3 = 4$
  $2 + 9 + 4 + 9 + 5 + 7 = 36$
  $3 + 6 = 9$
  $9 + 4 = 13 \quad 1 + 3 = 4$

4 es un número de éxito y también es compatible con su número de destino.

Adopción de un nombre secreto

Nuestra fecha de nacimiento es importante; es "oficial", pero también nos fue "impuesta". Muy seguramente nuestra identidad fue escogida aun antes de nuestro nacimiento. De hecho, nuestro nombre es la proyección (generalmente inconsciente) de la persona que nuestros padres deseaban que fuéramos. Y ese nombre es también un número que coincidencialmente escogieron para nosotros. Aunque hayamos cambiado nuestro nombre por un sobrenombre o por un nombre totalmente diferente, tener un nombre secreto que solo nosotros conozcamos activará las cualidades que internamente deseamos, o que pensamos hacen falta en nuestras vidas.

Un nombre secreto puede hacernos más felices, más sabios, más ricos, más agradables, más firmes y enérgicos, y más compasivos; puede estimular nuestro ego o proporcionarnos una excelente imagen de nosotros mismos para atraer la suerte o la fortuna.

- Escoja un número que parezca corresponder a las cualidades que busca o que cree le hacen falta. Luego elija un nombre cuyo número total sea el correcto. Podría ser cualquiera, desde Jack hasta Afrodita, pero debe ser uno que le guste.
- Por ejemplo, Beckie Green quiere ser más extravertida, de manera que elige el número 1. Al reducir su nombre secreto a un dígito, es 1.
- Escriba el nombre elegido en un papel nueve veces, luego quémelo o entiérrelo en un lugar secreto.

$$\text{Paige} \qquad \text{T Turner}$$
$$71975 = 29 \quad 2 \quad 239559 = 33$$
$$2+9+2+3+3 = 19$$
$$1+9 = 10$$
$$1+0 = 1$$

- Repita para usted el nombre secreto nueve veces antes de ir a dormir, y nueve veces al despertar.
- Repita su nombre secreto una y mil veces, como un mantra, o invoque las cualidades asociadas con el número siempre que necesite estimular su ego. Invoque mentalmente su nombre mántrico cuando tenga reuniones o cuando se sienta inseguro o confuso. Cuando considere que ya no necesita este nombre secreto, o si cree que necesita otro diferente, puede cambiarlo cuantas veces quiera.

Octubre 6 2009

$6 + 1 + 0 + 2 + 0 + 0 + 9 = 18$

$1 + 8 = 9$

$9 \, (fecha) + 8 \, (destino) = 17$

$1 + 7 = 8$

Elección de fechas especiales

La numerología es excelente para hacer planes anticipados, para elegir fechas favorables para determinados eventos, por ejemplo, un matrimonio, una visita al gerente del banco o inclusive para encontrar un nuevo amor. Por ejemplo, digamos que usted desea establecer un negocio en una fecha favorable, y cree que el 5 de octubre de 2009 será un buen día:

$5 + 1 + 0 + 2 + 0 + 0 + 9 = 17$

$1 + 7 = 8$

El número 8 es muy poderoso, en China se considera de muy buena suerte, y simboliza la riqueza y el éxito material. Esta es en verdad una fecha muy favorable para iniciar un negocio. Pero debe agregarle su propio número de destino, para ver si esa fecha es propicia para usted. Volvamos a Becky Green, cuyo número de destino también es 8. Significa que para ella el éxito y la condición social son muy importantes, y aunque el número de la fecha es el mismo de su número de destino, veamos qué sucede cuando se unen:

$8 + 8 = 16, \; 1 + 6 = 7$.

El número 7 es el número del escapismo y la ensoñación, y difícilmente compagina con el 8, que tiene que ver con el mundo de las realizaciones. Vemos que el 5 de octubre de 2009 no es una buena fecha para Becky Green. En cambio, podemos sugerir el 6 de octubre, porque si lo sumamos a su número de destino, el resultado sería el deseado 8.

Conocer qué nos depara un año

Podemos conocer anticipadamente nuestro año personal, analizar las energías, eventos y tendencias que se presentarán y prepararnos para hacer los cambios necesarios.

• Primero, calcule su número del año personal, sumando las cifras del año correspondiente y reduciéndolas a un solo dígito. Por ejemplo, para 2007: $2 + 7 = 9$.

• Enseguida, súmele el día y mes de su nacimiento, sin incluir el año. La fecha de nacimiento de Becky Green es 16 de junio, luego $1 + 6 + 6 = 13; \; 1 + 3 = 4$.

• Ahora, sume el número del año al número del mes y día, así: $9 + 4 = 13; \; 1 + 3 = 4$.

• Por lo tanto, 2007 fué para Becky un año 4, que es el número de los valores, estructura y arduo trabajo familiar. Pero no debe empantanarse en las rutinas.

2007: $2 + 0 + 0 + 7 = 9$

16 de Junio: $1 + 6 + 6 = 13$

$1 + 3 = 4$

$9 + 4 = 13$

$1 + 3 = 4$

Tabla de compatibilidad

También podrá usar la numerología para ver su compatibilidad con otras personas, sea una posible pareja, un amigo o el jefe. Encuentre sus números de personalidad y el suyo propio, y luego mire en la tabla para ver cómo compaginan.

Uno/uno	Competitivo, emocionante
Uno/dos	Sensual, indulgente
Uno/tres	Travieso, divertido
Uno/cuatro	Confuso, dramático
Uno/cinco	Dinámico, creativo
Uno/seis	A la defensiva, emocional
Uno/siete	Poco confiable, escapista
Uno/ocho	Motivado, controlador
Uno/nueve	Motivado, ardiente
Dos/dos	Agradable, sereno
Dos/tres	Impredecible, sexy
Dos/cuatro	Cálido, materialista
Dos/cinco	Original, centrado
Dos/seis	Ambicioso, establecido
Dos/siete	Errático, a la defensiva
Dos/ocho	Organizado, exitoso
Dos/nueve	Retador, apasionado
Tres/tres	Divertido, poco serio
Tres/cuatro	Feliz, emocionalmente intenso
Tres/cinco	Celestial, travieso
Tres/seis	Sensible, progresista
Tres/siete	Soñador, romántico
Tres/ocho	Apasionado, motivado
Tres/nueve	Incansable, aventurero
Cuatro/cuatro	Fácil, calmado
Cuatro/cinco	Vigoroso, tenaz
Cuatro/seis	Determinado, tranquilizador
Cuatro/siete	Sospechoso, fragmentado
Cuatro/ocho	Exitoso, pleno
Cuatro/nueve	Grandioso, sexy
Cinco/cinco	Idílico, atolondrado
Cinco/seis	Oscuro, dividido
Cinco/siete	Encantador, etéreo
Cinco/ocho	Sensual, suntuoso
Cinco/nueve	Extravagante, imaginativo
Seis/seis	Intachable, idealista
Seis/siete	Pacífico, relajado
Seis/ocho	Físico, mundano
Seis/nueve	Compasivo, cordial
Siete/siete	Emocional, sensiblero
Siete/ocho	Provocativo, ansioso
Siete/nueve	Comunicativo, creativo
Ocho/ocho	Sensitivo, intenso
Ocho/nueve	Impredecible, volátil
Nueve/nueve	Cambiante, salvaje

El significado de los números

Cada número tiene un significado diferente en sus categorías de destino, personalidad, motivación y expresión. Nuestro número de personalidad puede ser muy diferente de nuestro número de destino, y así sucesivamente. Lea cuidadosamente todos los significados y relaciónelos con sus sueños, deseos y sentimientos.

Uno

El Sol, amarillo, totalidad, unicidad
Claves Determinación, independencia

NÚMERO DE DESTINO
Nació para ser líder y causa impacto a dondequiera que vaya; por esta razón tendrá que enfrentar a muchos rivales durante su vida. Va a la vanguardia lleno de energía y no permitirá que nadie le impida tener las más altas aspiraciones; sus ideas originales a menudo se anticipan a la época. Tiene necesidad de expresar y concretar sus ambiciones.
Trate de evitar Poner a otros en segundo plano, sentirse superior, arriesgarse.
Potencialidad Ser el número uno y adoptar un estilo de vida libre y creativo que le traiga los cambios que está buscando. Escoger una ocupación donde usted sea el jefe.

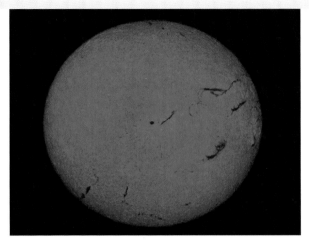

Tradicionalmente, el Sol representa la potencialidad y la unicidad.

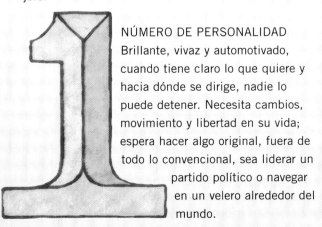

NÚMERO DE PERSONALIDAD
Brillante, vivaz y automotivado, cuando tiene claro lo que quiere y hacia dónde se dirige, nadie lo puede detener. Necesita cambios, movimiento y libertad en su vida; espera hacer algo original, fuera de todo lo convencional, sea liderar un partido político o navegar en un velero alrededor del mundo.

Relaciones Le es difícil acercarse realmente a la gente, pero es amante espontáneo y amigo divertido y cálido.

NÚMERO DE MOTIVACIÓN
Secretamente desea ser innovador. Sabe que puede ser líder y la independencia es una necesidad para su bienestar. Es apasionado, y le encantaría ser estrella de cine o una celebridad.

NÚMERO DE EXPRESIÓN
En los círculos sociales demuestra tanta confianza en sí mismo, que los demás lo consideran arrogante. Hace amigos fácilmente y en general le rodea un enjambre de admiradores del sexo opuesto. Usted aparenta saber lo que hace, pero en realidad intenta ocultar sus inseguridades.

Dos

La Luna, ritmo, danza, yin y yang, ópalo
Claves Negociación, sociedad

NÚMERO DE DESTINO

Es negociador nato. Cooperador y adaptable, sabe cómo hacer felices a todos. Prefiere trabajar tras bambalinas y dejar que otros tomen las decisiones. No es amigo de las confrontaciones y en aras de la paz a menudo cede demasiado fácilmente a las demandas de los demás. Su viaje por la vida se cumplirá bajo la influencia de muchas relaciones seductoras.
Evite Molestar a otros buscando quien lo defienda; haga compromisos.
Potencialidad Hacer uso de sus dotes diplomáticas. Elegir un oficio donde pueda ser un gran mediador.

NÚMERO DE PERSONALIDAD
A todos les encanta tenerlo cerca, porque usted siempre los hace sentir bien. Sin embargo, puede sentirse demasiado ligado a sus amigos, su familia, su trabajo o el pasado. Emocionalmente sensible, es capaz de aplacar cualquier ceño fruncido.
Relaciones Es increíblemente protector, pero puede encerrarse en una coraza cuando se siente amenazado. Necesita de alguien sensible y creativo como usted.

Yin es pasivo, yang es activo; juntos logran la armonía.

NÚMERO DE MOTIVACIÓN

En lo más profundo usted es muy sensible y necesita total cercanía emocional para sentirse cómodo en una relación. Secretamente desea tener mucho dinero, propiedades y una familia. Comience a ahorrar, trabaje duro y siéntase fortalecido por todos los que lo rodean.

NÚMERO DE EXPRESIÓN

No lo puede evitar, pero se relaciona con los demás de uno en uno. La gente lo ve como diplomático y justo, tranquilo y sensible. Su tacto y discreción indican que otros confían en usted. Pero, ¿se siente bien llevando sobre sus hombros todos los problemas de los demás? Esta situación puede ser difícil si su número de personalidad o de destino tiene tendencia al egocentrismo.

Tres

Júpiter, primavera, crecimiento, amatista

Claves Creatividad, comunicación

NÚMERO DE DESTINO

Es un comunicador nato y necesita expresarse a través de una válvula creativa. Su viaje por la vida tiene que ver con relaciones, viajes y un estilo de vida descomplicado. Tiene el don de la palabra y un enorme sentido de la aventura. Aunque no lo reten, encontrará algo contra qué luchar. Es un componente activo de la vida y no deja que las oportunidades le pasen de largo.

Trate de evitar Confiar en todas las personas que conoce.

Potencialidad Elegir una actividad en los medios o en las artes. Expandir sus horizontes y disfrutar siendo la persona coqueta y amante de la diversión que está destinada a ser.

Las personas Número Tres son como el florecimiento de la primavera irrumpiendo en la vida.

NÚMERO DE PERSONALIDAD

Extravertido y divertido, ama la compañía de otros y cree que la vida debe vivirse al máximo. Se impacienta si su trabajo o sus relaciones son monótonos o aburridos. Prefiere lo impredecible y emocionante ante lo conocido y fiable. El éxito le importa y mira hacia el futuro.

Relaciones Coqueto y seductor, no es la más constante de las compañías; pero adora a la persona con quien comparte el momento y vive los días como van llegando.

NÚMERO DE MOTIVACIÓN

Muy en lo profundo es un romántico a escondidas. Desearía viajar por el mundo en busca de la pareja perfecta, aun si ya está establecido. Lo que más ansía es escribir una novela que llegue a ser best-seller, y un guión de cine, inclusive llegar a ser filósofo.

NÚMERO DE EXPRESIÓN

Todos le conocen como persona segura de sí misma, generosa y divertida para compartir. Le encanta ser el centro de atención y ama el reto que plantean las nuevas ideas y las personas con criterio propio. Se comunica fácilmente y lleva una vida social muy activa. Su número de expresión le traerá resultados, así que no tema utilizarlo.

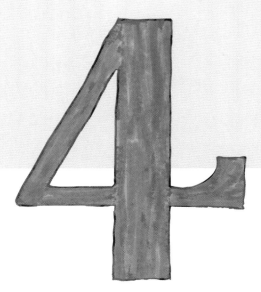

Cuatro

Saturno, las cuatro estaciones, verde oscuro, estructura

Claves Estabilidad, poder de la voluntad

NÚMERO DE DESTINO

Es un organizador nato. Práctico y terco, tiene la motivación para lograr todo lo que se propone. Ambicioso, capaz y digno de credibilidad, su viaje por la vida será el trabajo empresarial y los eventos que le obliguen a convertirse en autosuficiente y exitoso. **Evite** Ser demasiado estricto en sus puntos de vista. No se deje atrapar en la rutina.

Potencialidad Utilizar sus habilidades naturales para organizar. El éxito está asegurado si hace las cosas paso a paso y también se da tiempo para jugar un poco.

NÚMERO DE PERSONALIDAD

Por ser práctico y con los pies sobre la tierra, sus amigos saben que pueden contar con usted en momentos de crisis.

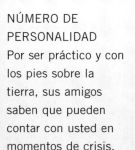

El planeta Saturno simboliza la estabilidad, seguridad y autocontrol

Le encanta hacer planes para el futuro y cumplirlos en su totalidad. Ama el aire libre y tiene gran afinidad con los animales y la naturaleza. Alimente su capacidad de construir estructuras sólidas y de crear seguridad financiera.

Relaciones Es leal y constante, y necesita ser el poder detrás del trono de su pareja y el suyo propio.

NÚMERO DE MOTIVACIÓN

Secretamente odia los cambios y le gusta manejar su vida. Es extremadamente vulnerable y compensa esta debilidad siendo el epítome de la eficiencia y el sentido común. Su deseo secreto es llegar a ser el director de la compañía, o tal vez un espía industrial. ¿Por qué no?

NÚMERO DE EXPRESIÓN

Usted es estable y digno de confianza. A menudo se le percibe como adicto al trabajo; tiene una energía increíble y logra que se hagan las cosas sin necesidad de alboroto. Debe usar este don de la autodisciplina, pues le traerá mucha felicidad cualquiera que sea su número de destino.

Cinco

Mercurio, amarillo, creatividad, oros

Claves Aventura, viajes

NÚMERO DE DESTINO

Usted es un viajero nato, listo para ensayarlo todo. Su viaje por la vida estará lleno de encuentros fascinantes y su incansable sentido de la aventura le llevará por muchos caminos diferentes. Posee excelente habilidad para comunicarse, ingenio, encanto y ansias de conocimiento y experiencia. Su versatilidad puede favorecerle en trabajos con el público.
Trate de evitar Impacientarse y aburrirse.
Potencialidad Ampliar sus horizontes, residir en el extranjero, trabajar en un oficio que le lleve a viajar y liberar su audacia.

Los destinos exóticos llenan de vitalidad a las personas con Número Cinco.

NÚMERO DE PERSONALIDAD

Impulsivo y amante de la libertad, odia sentirse atado y no puede soportar una vida aburrida o rutinaria. Cuando no está viajando, busca experiencias aventureras solo por el gusto de cambiar. Siempre mira hacia adelante, nunca hacia atrás. Lleno de entusiasmo frente a su próximo empleo, su próxima búsqueda, su próximo amor; no importa qué, en la vida siempre hay algo nuevo y fascinante para explorar.
Relaciones Vigoroso y romántico, necesita alguien que respete su independencia y le dé todo el espacio que necesita.

NÚMERO DE MOTIVACIÓN

En lo más profundo de su ser se encuentra intranquilo. Ansía un estilo de vida más emocionante, pero le preocupa lo que piensen los demás si se rebela contra las normas establecidas. Su deseo secreto es vivir como un nómada.

NÚMERO DE EXPRESIÓN

Usted es excelente compañía. Lenguaraz y ágil mentalmente, le gusta probar que todo lo sabe. Expresa bien sus ideas pero oculta sus sentimientos. El lado adaptable de su naturaleza indica que usted puede hacer que los cambios sirvan a sus propósitos.

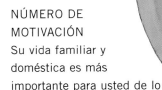

Seis

Venus, armonía, lujos, turquesa

Claves Compasión, idealismo

NÚMERO DE DESTINO

Nació para proteger a otros. Es altruista y afectuoso; sus amigos, familia y pareja son lo más importante. Su viaje por la vida tendrá que ver con apoyar a otros y hacerlos sentir bien consigo mismos. Para sentirse seguro, necesita la rutina, los rituales y los valores familiares. Expresa su generosidad y comprensión de la naturaleza humana mediante el arte de la sanación.

Trate de evitar Ser demasiado noble y altruista, pues podría sentirse utilizado más que útil.

Potencialidad Es esencial que trabaje en equipo, o que preste alguna clase de servicio, para sacar sus aspectos de cuidado y protección. Sin embargo, no debe dejar que otros decidan su futuro por usted.

NÚMERO DE PERSONALIDAD

Lo más importante para usted es su familia y la armonía doméstica, y su mayor deseo es ayudar a que todos alcancen sus metas. Tiende a involucrarse en los problemas personales de otros y a tornarse sobreprotector. Maneja el dinero maravillosamente y sus estándares son muy elevados tanto en el trabajo como en el hogar.

Relaciones Necesita una relación cálida y amorosa, y una vida de seguridad hogareña. Prosperará con una pareja que sea amante del lujo y leal.

NÚMERO DE MOTIVACIÓN

Su vida familiar y doméstica es más importante para usted de lo que otros creen, y anhela recibir tanto amor como el que da. Su deseo secreto es llevar un estilo de vida lleno de lujos, rodeado de una enorme familia o de un millón de amigos. ¡Salga a buscarlos!

NÚMERO DE EXPRESIÓN

Exteriormente usted es una excelente compañía y su actitud fácil hace que la gente se sienta cómoda inmediatamente. Comprender lo que hace marchar a los demás puede hacerlo sobresalir en cualquier competencia profesional y su encanto le hará ganar muchos méritos.

Lleve consigo una turquesa para la buena suerte.

Siete

Neptuno, espiritualidad, filosofía, aguamarina

Claves Intuición, ensoñación

NÚMERO DE DESTINO

Ha nacido para ser místico. Durante su viaje por la vida encontrará mucha gente que trabaja con la sanación. Tiene un extraordinario talento para comprender al mundo. Es extremadamente sensible y tiene una habilidad casi psíquica para saber lo que los demás piensan o sienten.
Trate de evitar Soñar despierto y escapar de la realidad.
Potencialidad Trabajos relacionados con la música o las artes. Debe usar creativamente sus habilidades intuitivas.

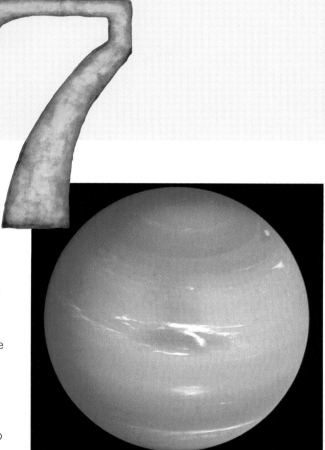

Las personas Número Nueve están en contacto con el mítico Neptuno.

NÚMERO DE PERSONALIDAD

A veces prefiere estar a solas y su lado oculto indica que a los demás se les dificulta acercarse a usted. Su habilidad para analizar a la gente es casi psíquica. Amable, sereno y soñador, parece funcionar completamente diferente a como lo hacen los demás.
Relaciones Necesita una pareja a quien no le importe que usted flote en el espacio.

NÚMERO DE MOTIVACIÓN

Muy dentro usted sabe que el mundo no es lo que parece. Tiene extraños momentos de contacto psíquico con otras personas. La música, las artes y lo oculto significan para usted más de lo que muestran las apariencias. Su deseo secreto es ser místico, un maestro espiritual o un brujo blanco. Libere su poder sanador.

NÚMERO DE EXPRESIÓN

Parece temperamental, soñador y ensimismado. Para los demás es difícil conocerlo y pasan siglos antes de que usted permita que alguien se le acerque. A veces en la mitad de una frase se le olvida lo que está diciendo, y otras veces tiene un enorme conocimiento para divulgar.

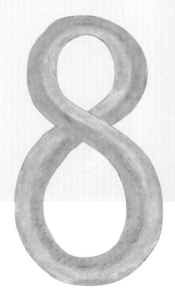

Ocho

Capricornio, invierno, destino, materialismo

Claves Ambición, destreza

NÚMERO DE DESTINO

Usted es un empresario nato. Lo más importante en su vida será la posición económica, el prestigio y el éxito. Su intención de alcanzarlos a como dé lugar significa que sus relaciones estarán en segundo plano. Su viaje por la vida será de trabajo duro e impecable y de ambiciones materiales. Su eficiencia en la búsqueda del poder lo llevará a la cima de su profesión.

Trate de evitar Suponer que la motivación o metas de los demás son iguales a las suyas.

Potencialidad Buscar resultados perfectos, demostrar su valía y concentrarse en los logros materiales.

Las personas Número Ocho son tan frías como el invierno, pero están seguras de su rumbo.

NÚMERO DE PERSONALIDAD

Se siente impulsado a tener éxito y con frecuencia prefiere trabajar día y noche antes que establecer relaciones. Increíblemente autosuficiente, recorre enormes distancias para permanecer en control de su mundo personal, pero puede llegar a ser demasiado autoritario frente a los demás. Su actitud dogmática le produce resultados, pero le es difícil relajarse.

Relaciones Prefiere las relaciones de trabajo a las relaciones sentimentales. Pero si logra combinarlas, obtendrá una sociedad muy productiva.

NÚMERO DE MOTIVACIÓN

Secretamente lo impulsan el éxito y el poder, y se siente engañado si no obtiene resultados materiales. Muy adentro es organizado y confiable, a pesar de que pueda parecer desordenado. Su deseo secreto es ser más rico que Richard Branson y Bill Gates, o llegar a dominar el mundo.

NÚMERO DE EXPRESIÓN

Organizado, eficiente y enormemente confiable, no le teme al trabajo arduo y siempre está bien presentado, a la última moda y consciente de la parte económica. Puede parecer mandón y que se cree perfecto, y su sed de logros materiales indica que no tendrá muchos aliados. Sólo permitirá la entrada a su mundo a un grupo pequeño de amigos selectos.

Nueve

Marte, el universo, rojo, idealista, visionario

Claves Competitividad, franqueza

NÚMERO DE DESTINO

Nació para ser paladín de todas las causas y siente gran entusiasmo por las nuevas empresas. Durante todo su viaje por la vida se enfrentará a la injusticia y luchará por la libertad de otros, a escala personal o global. Tiene una extraordinaria visión del futuro, pero no siempre termina lo que empieza.
Trate de evitar Hacer promesas y escabullirse a último momento.
Potencialidad Cambiará de profesión muchas veces en su vida. Prepárese para adaptarse y pronto encontrará la felicidad que busca.

NÚMERO DE PERSONALIDAD

Romántico, altruista y con un espíritu libre, es a menudo el centro de atención. Le encanta deambular por el mundo, conociendo personas y apresurándose impulsivamente a hacer algo nuevo o diferente. Humanitario y honesto, primero ayudará a los más desfavorecidos. Ama la intriga de los amores clandestinos y el poder de conocer los secretos de los demás.

Las personas Número Nueve luchan contra la injusticia y son vibrantes como una amapola.

Relaciones Le es difícil mantener un compromiso por mucho tiempo, a menos que su pareja tenga el mismo espíritu libre que usted. El romance y la intriga le importan más que la comodidad del hogar y que un amor rutinario.

NÚMERO DE MOTIVACIÓN

En su interior es un romántico escondido que desea ser llevado por el mal camino, o ser tentado en su paso por la vida. Su deseo secreto es viajar por el mundo o ser un espíritu libre. ¡Libere su audacia y disfrute!

NÚMERO DE EXPRESIÓN

Externamente usted es el encanto personificado. Su entusiasmo por la vida es contagioso y a la gente le encanta estar a su lado; pero cuando las relaciones comienzan a ponerse demasiado intensas o serias usted desaparece o hace nuevos contactos sociales. Odia que traten de concretarlo, sin embargo, le gusta ofrecer ayuda y consejo.

LECTURA DE LA MANO

3 • LECTURA DE LA MANO

La lectura de la mano es el antiguo arte de conocer el carácter y el destino a partir de la palma. Existen tres diferentes áreas de estudio: la dermatoglífica (patrones de la piel), la quirología (forma), y la quiromancia (líneas y marcas). En este capítulo aprenderemos cómo combinar la quiromancia y la quirología.

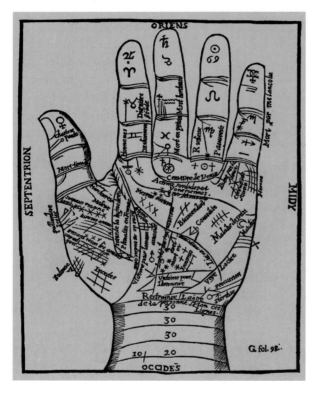

Grabado en madera del siglo XVII que muestra las líneas y montes más importantes de la mano izquierda.

¿Qué revela la lectura de la mano sobre nuestro futuro?

Nuestra palma no solo tiene la clave de nuestra personalidad individual, sino que nos muestra cómo será nuestro viaje por la vida; es como un mapa que indica quiénes somos y hacia dónde nos dirigimos. El patrón de las líneas de la mano es irrepetible. Al saber más sobre nuestras metas personales y nuestro carácter, controlaremos nuestro destino en vez de sentir que la vida está predeterminada y que no tenemos elección. Conociendo el significado de las líneas, montes y dedos de nuestra mano dominante (la que usamos para escribir), veremos hacia dónde vamos en la vida y cuáles relaciones y profesiones son las correctas para nosotros. Leyendo nuestra palma leeremos nuestro futuro, porque al conocer nuestro carácter y aspiraciones podremos hacernos cargo de nuestro destino.

Ventajas que ofrece la lectura de la mano

- Encontrar la clase de amor que nos conviene.
- Identificar nuestro rumbo y las metas a lograr.
- Tomar decisiones que cambien nuestra vida.
- Comprender nuestro potencial escondido.
- Conocer nuestra verdadera vocación.
- Definir la trayectoria de nuestra vida.

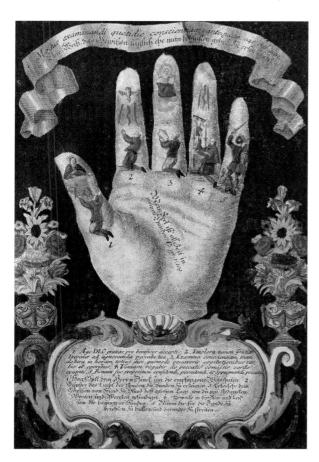

Un manuscrito iluminado revela los secretos de la palma santa Madre Anne, reverenciada en el siglo XVIII.

Historia de la lectura de la mano

Desde hace 5.000 años ya se practicaba la lectura de la mano en culturas tan antiguas como la india y la egipcia. Algunas fuentes creen que la lectura de la palma que se practica en Occidente está basada en la fisonomía, es decir, en el arte de comprender las personalidades y el futuro de las personas según sus características faciales, y que se remonta al año 1100 a.C.

La lectura de la mano era usada como auxiliar de la medicina por antiguos griegos como Hipócrates y Galeno; alrededor del año 3000 a.C. el Emperador de la China utilizaba la huella de su pulgar para sellar documentos. El primer manuscrito que hace referencia a la lectura de la mano en idioma inglés está fechado en 1440 y se conoce como el Rollo Digby IV.

Para la primera iglesia cristiana, la lectura de la mano era una especie de culto al diablo y como tal fue declarada ilegal. Pero los gitanos, rumanos y muchos místicos continuaron practicando este arte en secreto hasta finales del siglo XIX. Popularizada por psíquicos como Cheiro, un adivino irlandés cuyo nombre verdadero era Conde Louis Harmon, la lectura de la palma se convirtió en la más popular de las artes adivinatorias durante la primera mitad del siglo XX, pero luego se le calificó de charlatanería. Ahora está volviendo a ganar fuerza, no sólo para predecir la fortuna sino porque sirve de guía para alcanzar el crecimiento interior y la comprensión.

Formas de manos

Existen cuatro formas básicas de la mano, estrechamente relacionadas con los cuatro elementos: tierra, fuego, aire y agua. Nuestra mano nos indica de manera inmediata cuál es nuestra personalidad básica, y al conocer más de nosotros mismos desarrollar nuestras habilidades y talentos para forjar nuestro futuro.

Cómo identificar la forma de la mano

Descubra la forma general de su mano dominante (con la que escribe) sosteniéndola frente a usted mirando la palma. Luego observe las ilustraciones para determinar cuál forma se parece más a la suya.

Elemento tierra:

MANO CUADRADA O "PRÁCTICA"

Descripción Palma cuadrada con dedos cortos

Claves Sentido común, habilidad práctica. Persona honesta, físicamente fuerte y muy sensata frente a la vida. Ve la vida desde una óptica realista y humorística, y puede tener éxito en cualquier oficio práctico o creativo. Paciente y muy estricto en sus métodos, es amoroso y leal. Necesita ser necesitado. El trabajo en equipo, una vida social activa y muchos retos lo hacen sentir satisfecho y motivado.

Potencialidad Manténgase activo físicamente, demuestre sus habilidades prácticas y su amor por la belleza. Fíjese plazos y conozca personas sensibles frente a sus necesidades y sus sueños se harán realidad.

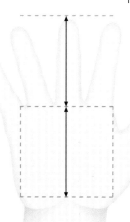

Tierra

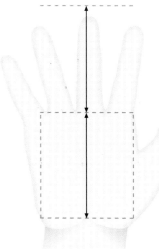

Fuego

Elemento fuego:

MANO ENERGÉTICA O "INTUITIVA"

Descripción Palma alargada con dedos medianos

Claves Inquietud, vitalidad

Simplemente desea seguir adelante con su vida. Apasionado e inquieto, necesita cantidades de ejercicio físico y estimulación mental. Su actitud apasionada frente a otros puede llevarle a confrontaciones, pero vence los retos y los riesgos. Odia perder el tiempo y hace las cosas tan rápidamente como le es posible, sin preocuparse por las consecuencias. Otras personas envidian su automotivación.

Potencialidad Relaciónese con personas que le den espacio para respirar y siga una carrera exigente y con grandes retos. Necesita liderar para tener éxito.

Elemento aire:

MANO INTELECTUAL O "EQUILIBRADA"

Descripción Palma cuadrada con dedos alargados

Claves Inteligencia, idealismo

La comunicación y el conocimiento lo mantienen alerta e inspirado. Posee una mente brillante y con su enfoque lógico y objetivo frente a la vida; tiene más habilidad que otros para enfrentar altibajos. Se le facilita trabajar donde pueda transmitir información o investigar. Es idealista en las relaciones amorosas y cree en el romance sin asomo de duda.

Potencialidad Ingrese al mundo de la comunicación o de los medios y asegúrese de aprender algo nuevo cada día.

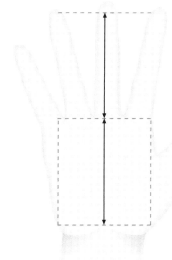

Agua

Elemento agua:

MANO SENSIBLE O PUNTIAGUDA

Descripción Palma estrecha, dedos largos

Claves emociones, habilidad artística

Extremadamente sensible frente a su entorno, es psíquico e intuitivo. Es un verdadero romántico y a menudo se involucra con amores clandestinos. Puesto que es soñador y fantasioso, la vida real le parece muy dura y escapa en su imaginación en vez de enfrentar la realidad. Unas veces gregario y otras solitario, siempre es generoso con su tiempo.

Potencialidad Libere sus habilidades musicales o artísticas y será recompensado. Desarrolle su autoestima y su vida sentimental mejorará.

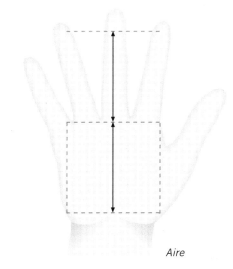

Aire

Los dedos

La forma de los dedos revela más detalles sobre nuestra personalidad y potencialidad. Al analizarlos, debemos considerar la forma general e ignorar las uñas. Hay que buscar la forma más constante puesto que los dedos pueden ser una mezcla de largos, cortos, cuadrados, etc.

El pulgar

Representa la cantidad de energía que irradiamos y nos identifica como líderes o seguidores. Mientras más largo sea el pulgar en comparación con la mano, más fuerte es la personalidad.

Pulgar corto

Lleno de energía pasiva, puede ser muy sensible. Debe trabajar en un ambiente tranquilo donde no tenga que tomar decisiones.

Pulgar largo

Determinado a triunfar, necesita ocupar una posición donde deba tomar decisiones.

Pulgar puntiagudo

Tiene habilidad creativa pero es muy idealista. Debe trabajar en equipo.

Pulgar con punta cuadrada

Práctico y eficiente, necesita liderar desde lo alto.

Pulgar protuberante

Es temperamental, pero cumple sus tareas. Trabaja mejor solo.

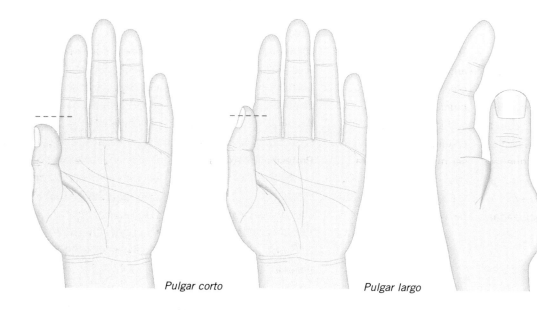

Pulgar corto

Pulgar largo

Pulgar protuberante

Los demás dedos

Existen cuatro tipos básicos de forma de dedos y, dependiendo del tipo predominante, es posible determinar el estilo de vida que nos satisface mejor.

Dedos cónicos

Instintivamente sabe cómo actuar en cualquier situación. Es inteligente, no juzga a los demás y siempre está dispuesto a ayudar o aconsejar a los demás. Intuye lo que la gente piensa y siente, y se siente a gusto en profesiones relacionadas con la salud.

Dedos puntiagudos

Trabaja mejor en un ambiente estéticamente placentero. Le importa mucho el buen gusto y se fija en los detalles, diseños y colores. Puede ser quisquilloso para vestirse, pero su carisma y elegancia atraen todas las miradas. Prospera en un ambiente organizado.

Dedos cuadrados

Está motivado y tiene los pies sobre la tierra, pero prefiere un estilo de vida sencillo y despreocupado donde tenga tiempo de disfrutar otros placeres. Profesional y exitoso, puede ganar dinero fácilmente en los negocios de riesgo y en finca raíz. Prefiere trabajar en un ambiente convencional.

Dedos espatulados

Mental y físicamente activo, se adapta bien a los viajes, aventuras, al aire libre y a un estilo de vida ocupado. No le afecta trabajar 24 horas 7 días a la semana, pero también necesita tiempo para disfrutar de las buenas relaciones sociales. Es muy inteligente.

Los montes

Los montes son los cojines carnosos que se encuentran en la base de los dedos (y también en otras áreas de la palma). No todas las personas los tienen desarrollados, pero los montes que tengamos en nuestras manos nos darán nuevas claves sobre nuestra personalidad.

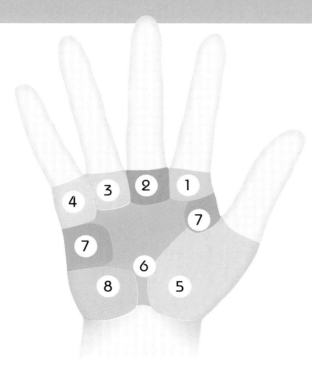

Los ocho montes principales

1 Monte de Júpiter
Se encuentra bajo el dedo índice. Si está bien desarrollado revela una persona segura y ambiciosa.

2 Monte de Saturno
Es el monte bajo el dedo medio. Cuando está bien desarrollado indica una mente equilibrada.

3 Monte de Apolo
Se encuentra en la base del dedo anular. Si está bien desarrollado, este monte revela comprensión y creatividad.

4 Monte de Mercurio
Está bajo los dedos anular y meñique. Si está bien desarrollado denota un buen comunicador empresarial. Si el monte es llano, hay que desarrollar esta cualidad.

5 Monte de Venus
Es el área carnosa en la base del pulgar. Si está bien redondeado revela el disfrute de los placeres sencillos de la vida, la importancia de la familia y la calidez de la persona.

6 Monte de Neptuno
Se encuentra en el centro de la palma. Si está bien desarrollado indica mucha sensibilidad frente a las necesidades de los demás.

7 Montes de Marte
Son dos montes adyacentes que se encuentran en el centro de la palma, justo debajo de los montes de los dedos. Si esta área está bien desarrollada revela una persona con muchísima energía pero a menudo impulsiva e impetuosa.

8 Monte de la Luna
Es el área ubicada en la parte más exterior de la palma, hacia la muñeca. Si es firme, indica compasión, sensibilidad y creatividad. Si es más prominente que los otros montes significa que la persona es muy influenciable y que no confía en sus propios instintos.

Las líneas principales

Existen cuatro líneas principales en la mano, como se resume a continuación. En las páginas 68 a 75 se describen en más detalle.

Interpretación de las líneas de la palma

1 Línea de la vida

Esta línea describe nuestra vitalidad, la potencialidad de nuestro viaje por la vida, nuestras relaciones familiares y nuestro estilo de vida

2 Línea del corazón

Como su nombre lo indica, esta línea revela todos los aspectos relacionados con el amor, el romance, la felicidad y la vida emocional.

3 Línea de la cabeza

Describe nuestra apreciación mental de la vida, nuestra posible profesión y habilidades creativas.

4 Línea del destino

La línea del destino revela nuestras motivaciones, el rumbo de nuestra carrera y el grado en que controlamos nuestra propia vida.

La línea de la vida

Esta línea comienza arriba del pulgar y gira hacia la muñeca. Existen muchas variaciones.

1 La línea de la vida forma una curva amplia hacia el centro de la mano

Desea realizar cosas grandes en la vida. Le atraen los viajes, las aventuras y lo desconocido. La independencia es muy importante y con sus ideas de vanguardia usted quiere probar que es diferente a todo el mundo.

2 La línea se mantiene cerca al pulgar

El hogar es donde se siente más satisfecho. No es especialmente ambicioso, pero sueña con una buena vida de familia y sentirse querido y especial por quienes le rodean.

3 La línea de la vida termina girando hacia la parte exterior de la muñeca

A menudo revela un cambio de residencia muy lejos del hogar. Las mejores experiencias vendrán de los viajes o de vivir en otros países.

4 La línea de la vida comienza en la base del índice

Necesita cambios constantes en su estilo de vida para sentirse satisfecho. Es testarudo y está decidido a hacer las cosas a su manera.

5 La línea de la vida parece reducirse a través del monte de Venus

Su vida es muy restringida, tal vez por la influencia de miembros de su familia o por las expectativas sociales. Modifique esta situación aceptando que aprobación y amor son dos cosas diferentes. Sea amado por quien usted es, no por lo que los demás piensan que debe ser.

6 Interrupciones en la línea de la vida

Simplemente significan muchos cambios en la vida, donde un ciclo que termina da paso a otro que comienza. Muchas interrupciones superpuestas en la línea indican que la transformación es positiva y que la decisión será enteramente suya.

7 Doble línea de la vida

Hay dos posibilidades:
a) Puede tener un gemelo o un ángel guardián.
b) Lleva una doble vida. Por ejemplo, usted vive en dos países diferentes; tiene dos amores; trabaja como financiero durante el día, mientras que durante las noches es un apostador.

8 La línea de la vida se divide hacia la muñeca

Indica muchos viajes, y mientras más amplia o larga sea la bifurcación, más importantes serán los viajes, posiblemente calificando su total estilo de vida.

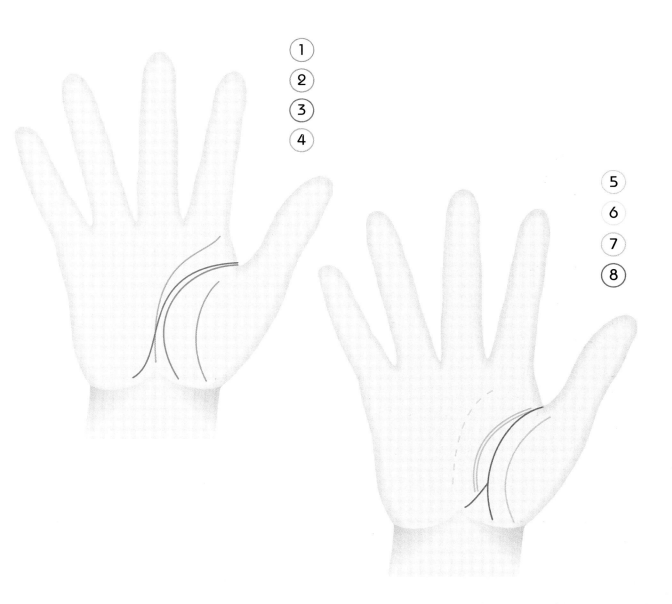

La línea del corazón

La línea del corazón comienza en la parte más exterior de la mano por debajo del meñique y se mueve, curva o recta, a través de la palma.

1 La línea del corazón es firme, bien definida y dominante

Los amores, romances y relaciones serán los temas clave y puntos de referencia en su viaje por la vida.

2 La línea del corazón es muy corta, delgada o débil

Puede indicar que no está en contracto con sus propios sentimientos. Es posible que dependa mucho de la aprobación de los demás y el sexo en las relaciones puede ser para usted más importante que la parte afectiva.

3 La línea del corazón comienza muy arriba, cerca de la base del meñique

Es muy consciente de sus acciones y levanta grandes barreras emocionales. Puede ser muy autocrítico, más interesado en el lado intelectual o mental de las relaciones que en los compromisos afectivos.

4 La línea del corazón comienza abajo, por debajo del nudillo exterior de la palma

Idealista y romántico; se enamora del amor y espera demasiado de su pareja. A menudo se siente decepcionado cuando una relación se marchita y puede convertirse en picaflor buscando a alguien.

5 La línea del corazón termina entre el índice y el dedo medio

Emocional, apasionado y seductor; deja claro quién manda en la relación. Cuando se enamora es todo o nada y puede mover montañas para estar cerca de su amor. Muy carismático, encontrará muchos admiradores, amantes o parejas a lo largo del camino.

6 La línea del corazón termina debajo del dedo medio

Le gusta estar al mando en la relación, y le importan mucho la familia, las estructuras y las expectativas convencionales. El amor duradero es más importante que las relaciones excepcionales y tiene éxito construyendo relaciones de trabajo exitosas.

7 La línea del corazón termina debajo del índice

Es abierto y libre en el amor y sus relaciones serán muy satisfactorias, siempre y cuando conserve su libertad. Amigo y amante, adaptable y cordial.

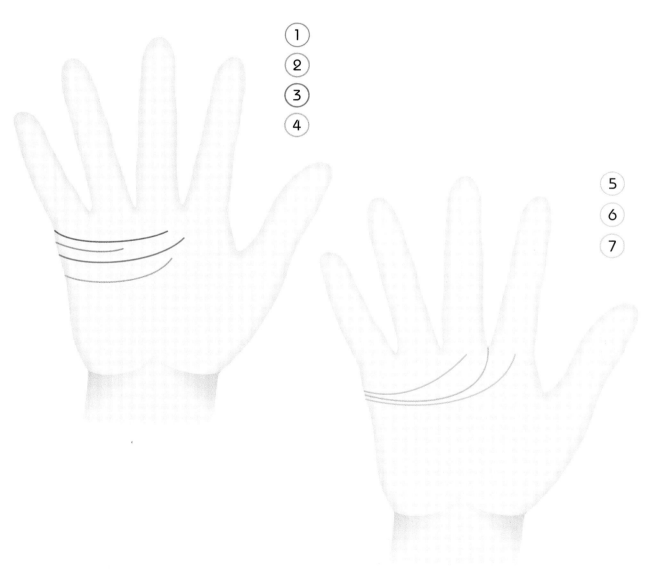

La línea de la cabeza

Generalmente esta línea se encuentra entre las líneas del corazón y de la vida. Comienza entre el pulgar y el índice y corre a través del centro de la palma, para terminar hacia el lado exterior de la mano. Si la línea es firme y ancha revela una persona metódica y siempre presta a hacer bien su trabajo; si es delgada, débil o corta, le es difícil tomar decisiones y ordenar la mente. Una línea de la cabeza muy larga indica que se pierde en los pensamientos pero es capaz de ver ambas caras de la moneda.

1 La línea de la cabeza y la línea de la vida nacen del mismo punto

Al comienzo de su vida encuentra difícil separarse de su familia o de la manera como fue criado. Tiene poca confianza en sí mismo y se preocupa por lo que los demás piensen de usted. Con suerte compensará esta situación más adelante estableciendo su propia independencia y ambiciones.

2 Línea de la cabeza separada de la línea de la vida

Librepensador, obstinado y entusiasta frente a todo lo que hace; irá por la vida sin preocuparle lo que piensen los demás. Es muy centrado y únicamente confía en sí mismo.

3 La línea de la cabeza se eleva en la base del índice

Ambicioso y motivado; es competitivo y está convencido de que puede vencer toda oposición. Su enfoque de considerarse superior a los retos que la vida trae, lo lleva lejos pero a veces piensa que puede permitirse cualquier cosa.

4 La línea de la cabeza atraviesa la palma, desde el extremo interior al borde exterior

Siempre enfocado y controlando su vida; necesita seguridad material. Generoso con su tiempo y dinero, puede tener obsesión por la ropa, por las propiedades y por su apariencia personal.

5 La línea de la cabeza se dobla hacia abajo

Sensible y temperamental, también es en extremo intuitivo e imaginativo. Persona artística y creativa quien gusta mucho de la soledad. Trabaja bien en un ambiente artístico, relajado y libre de estrés.

6 La línea de la cabeza se bifurca al final

Si la línea se abre en dos al final, revela un escritor nato o alguien con gran talento para las comunicaciones. Si la bifurcación es muy pronunciada, tendrá mucho éxito trabajando como periodista o en los medios.

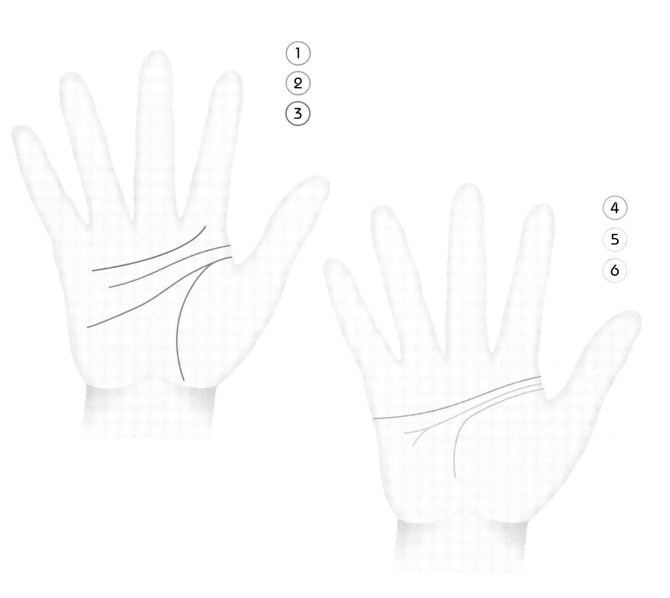

La línea del destino

Relacionada con la profesión, el trabajo y las aspiraciones, la línea del destino comienza en un punto en la parte inferior de la palma y corre hacia arriba hasta cerca de la base de los dedos.

1 La línea del destino corre por el centro de la palma y termina debajo del dedo medio

Sabe lo que quiere y hacia dónde va. Si trabaja sobre sus aspiraciones, alcanzará gran éxito y buena fortuna.

2 La línea del destino comienza en la parte exterior de la palma, al lado opuesto del pulgar

Independiente y exaltado; ansioso por separarse de su familia o de las expectativas tradicionales. Necesita viajar o vivir en el exterior y ampliar su perspectiva de la vida para alcanzar el éxito y la realización.

3 La línea del destino gira hacia el índice

Dedicado a su carrera o profesión, alcanzará sus metas. Sobresaldrá entre la multitud y recibirá grandes aplausos. A menudo denota a un verdadero líder.

4 Línea del destino corta o débil

No es especialmente ambicioso y a menudo cree que los demás están demasiado obsesionados con el éxito y el logro. Trabaja bien en ambientes relajados bajo poca presión y con muchos amigos.

5 Interrupciones en la línea del destino

Cambiará muchas veces la dirección de su carrera y de su vida. En realidad nunca se dedica a una sola cosa; prepárese para el éxito que viene y se va. Sin embargo, tiene un extraordinario talento para adaptarse a las nuevas experiencias como vayan llegando.

6 La línea del destino comienza cerca al monte de Venus

Prefiere estar cerca de su hogar y probablemente hará lo que se espera de usted durante la mayor parte de su vida. Se siente obligado a trabajar en negocios familiares o a seguir la carrera que uno de sus padres decidió era la mejor para usted.

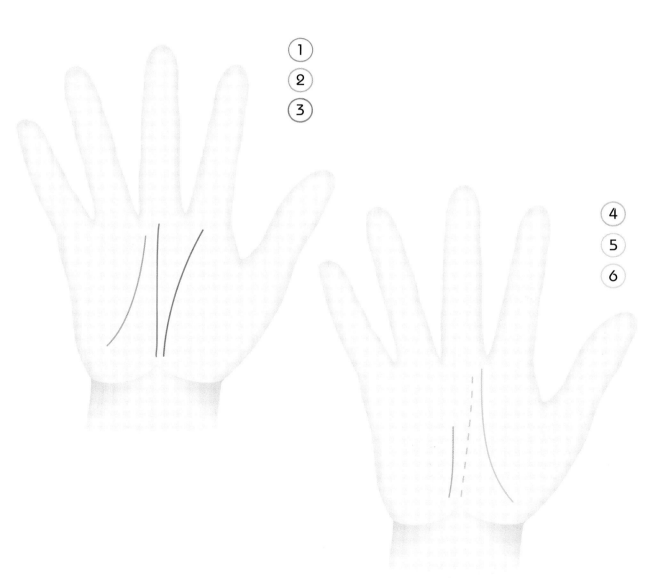

Lectura práctica

Existen dos escuelas que dan diferente interpretación a qué se lee en cada mano. Algunos creen que sólo se debe mirar la mano dominante, mientras otros son de la opinión de que ambas manos tienen igual importancia. Personalmente considero que la mano con la que escribe es su mano "principal".

Su potencial

La mano "principal" o dominante nos habla de nuestra naturaleza consciente; en otras palabras, cómo nos comportamos y reaccionamos; la clase de cosas que en la vida nos harán sentir bien de ser como somos; nuestro viaje por la vida en la manera como se va desarrollando, y los eventos, influencias y experiencias de nuestra vida, pasada, presente y futura. La otra mano, aquella que no usamos para escribir o mano secundaria, también saca cosas a la luz porque muestra nuestra parte inconsciente y dormida; nuestro potencial, nuestras habilidades y metas escondidas; lo que realmente deseamos y lo que podemos tener.

Recuerde que las líneas de las manos cambian con el paso de los años, reflejando eventos externos, deseos inconscientes o potencialidades disponibles.

Preparación

Sea sistemático. No trate de leer toda la palma en una sesión o terminará confundido. Recuerde que el objetivo de las interpretaciones y los significados discutidos atrás solo son indicadores para un análisis más detallado. Trate de combinar estas referencias con sus propios poderes intuitivos y con sus deseos hacia el futuro.

Es posible que encuentre algunas contradicciones cuando interprete diferentes aspectos de la mano. Esto es normal porque como seres humanos estamos llenos de contradicciones. La mano es una extensión de la mente y el patrón de lo que somos.

Antes que todo, realice este sencillo ejercicio preliminar.

- Escriba a mano su nombre, dirección y cosas favoritas, sin detenerse a pensar en ello.
- Enseguida haga lo mismo y mire cómo se mueven sus manos, como si estuviera observándose desde fuera de su cuerpo. Esta es la objetividad que debe cultivar cuando lea la mano o cuando use cualquier otra herramienta adivinatoria para conocer el futuro. Si proyecta sus miedos, preocupaciones y deseos sobre la mano, no tendrá una imagen clara de lo que está sucediendo.
- Toque su mano dominante con la otra mano. ¿La siente suave, tersa, áspera, irregular, carnosa, dura, fría o caliente? ¿Qué le hace pensar o sentir esa sensación? ¿Le gusta?
- Ahora piense qué clase de mano le gustaría tener, en caso de que no le guste la suya. Si desea una más delgada, más tibia, más grande (o cualquier cosa), este hecho revela que probablemente usted no está contento con la manera como vive su vida, y ahora es el momento de tomar decisiones y ser honesto consigo mismo sobre lo que desea para el futuro.
- Enseguida tiene que ser muy objetivo para leer su propia mano. Como seres humanos, tenemos tendencia a concentrarnos en lo positivo y a ignorar lo negativo. Sin embargo, todas las características negativas ponen muchas cosas al descubierto y, con el conocimiento correcto, podrá convertirlos en atributos positivos.

La lectura

RUMBO DE LA VIDA

Si tiene un grave problema relacionado con su carrera o con el rumbo general de su vida, primero fíjese en la forma de su mano dominante y determine si se trata de una mano de tierra, fuego, aire o agua (vea las páginas 62-63). ¿Está siguiendo las instrucciones? Luego, mire las líneas de la vida, de la cabeza y del destino (vea las páginas 68-69 y 72-75) para obtener más información sobre el rumbo de su vida.

RELACIONES

Concéntrese primero en la forma de su mano dominante y luego observe la línea del corazón (vea páginas 70-71) para determinar la clase de relaciones con las que se siente mejor y la manera como usted expresa sus necesidades emocionales. ¿Siente que se está describiendo? Si está de acuerdo, observe su mano secundaria; ¿la línea del corazón es ligeramente diferente y revela algo sobre usted que no conocía o de lo que no era consciente?

Si no está de acuerdo con la interpretación de su mano dominante, podría estar negando las cualidades que ella describe o no es consciente de que esa es la manera como usted se comporta en sus relaciones.

HABILIDADES Y TEMPERAMENTO

Si se siente inseguro de sus habilidades naturales o quiere conocer más sobre su temperamento, mire primero la forma general de la mano, luego los montes (si son prominentes, consulte la página 66) y enseguida los dedos (páginas 64-65). Finalmente, vaya a las líneas de la cabeza, del destino y de la vida.

Cómo sacar conclusiones

Tome notas mientras lee y observa. Registre tanto las cualidades negativas como las positivas, ¡y no haga trampa! Lo que está leyendo es el mapa de su propio yo. Reúna las imágenes, haga un dibujo de la mano y escriba las claves de todas las características predominantes, como en este ejemplo:

Estas claves le aportarán ideas importantes, relacionadas con los pasos a seguir y con lo que le depara el porvenir. Ahora es su turno de hacer realidad esas potencialidades, tomar decisiones y ser responsable de su futuro. Armado con este nuevo autoconocimiento, podrá realizar esos sueños o deseos que están a su alcance. Sin embargo, si piensa que la vida simplemente está predeterminada, estará predispuesto por esta idea y los eventos externos siempre lo afectarán. Pero si cree que puede hacer elecciones, propiciar cambios y tomar las riendas de su propio futuro, tendrá el control de su destino.

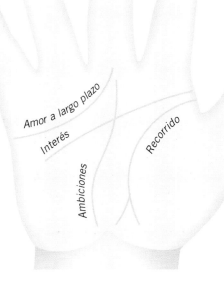

Amor a largo plazo

Interés

Recorrido

Ambiciones

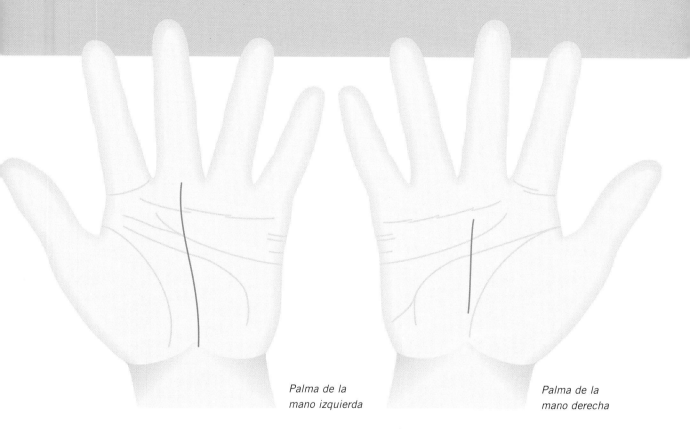

*Palma de la
mano izquierda*

*Palma de la
mano derecha*

La mano secundaria

Su mano "secundaria" le revelará sus limitaciones, así como sus posibilidades y potencialidades ocultas. De nuevo, mire la forma general de la mano. Probablemente sea muy parecida a la mano dominante, pero si existen discrepancias tome nota de ellas. Siga el procedimiento con los dedos.

Es más probable que las líneas le indiquen algunas diferencias interesantes. Tal vez su línea del destino en la mano dominante sea débil y corta, indicando que usted no es muy ambicioso ni claro en sus propósitos; desea progresar, pero se siente frenado. En la mano secundaria, la línea del destino puede ser más larga y mucho más marcada, mostrando la necesidad de expresar sus deseos individuales y de encontrar su verdadera vocación.

Desafortunadamente, en este libro, para no hacerlo demasiado extenso, no es posible incluir todas las combinaciones posibles, pero armado con este conocimiento inicial podrá comenzar a develar la dirección de su propio futuro y hacer que sus sueños se conviertan en realidad.

RUNAS

4 • RUNAS

Las runas son antiguos símbolos vikingos, tallados en la roca, en piedras, guijarros o madera, utilizados originalmente para invocar el poder de los dioses. Los escandinavos creían que las runas grabadas sobre un objeto lo dotaban de poderes mágicos.

¿Qué pueden revelar las runas sobre su futuro?

Las runas, al igual que los cristales y todos los elementos naturales, vibran con la energía universal. Al consultar las runas hacemos uso de las vibraciones armoniosas del universo en busca de una respuesta.

Consultemos las runas cuando debamos tomar una decisión o cuando tengamos un problema cuya solución no hayamos podido encontrar. Las runas nos darán una nueva perspectiva y nos indicarán el mejor campo de acción. Las runas son objetivas y, como todos los oráculos, nos proporcionan gran comprensión de nosotros mismos y de nuestras intenciones futuras. Consultando las runas en cualquier momento podremos conocer lo que realmente deseamos, hacia dónde nos dirigimos y cuál es la meta de nuestro viaje personal. También podemos usar las runas como herramienta de meditación, o combinarlas con el I Ching o el Tarot para obtener lecturas más profundas y completas.

Ventajas de consultar las runas

Las runas nos ayudan a:
• Tomar decisiones urgentes.
• Conocer lo que realmente deseamos.
• Obtener respuesta a nuestras preguntas.

Antigua piedra grabada con runas mágicas.

• Adquirir la confianza necesaria para prestar atención a nuestras necesidades reales.
• Trabajar en nuestro crecimiento personal.
• Aumentar nuestro sentido de la responsabilidad para la toma de decisiones.
• Tener puntos de vista objetivos.
• Traer equilibrio y armonía a nuestras vidas.

Historia y lenguaje de las runas

"Runa" es una palabra de origen gótico, que quiere decir "secreto o misterio". El uso de las runas para adivinación se remonta miles de años en el pasado, pero nadie sabe a ciencia cierta cuándo se introdujeron en Europa. Inicialmente fueron un sistema misterioso y mágico de símbolos y glifos que representaban las fuerzas de la naturaleza; en Suecia se hallaron símbolos pictóricos semejantes grabados en la roca que datan del 1300 a.C. Los glifos característicos también fueron usados entre los pueblos germánicos como señales y augurios de suerte y para recibir ciertos poderes especiales.

Las runas son 24, divididas en tres grupos de ocho, que corresponden al alfabeto vikingo básico. Cada grupo recibió sus poderes especiales y su nombre de uno de los dioses nórdicos: Freyr, Hagal y Tyr. Hasta el siglo XI, las runas fueron consultadas por tribus, religiones e individuos como oráculo y también para predecir el futuro. En este libro utilizaremos las 24 runas nórdicas que son las más conocidas de cuantas han sobrevivido, junto con la misteriosa runa en blanco, Wyrd, que fue introducida más tarde. "Wyrd" era el nombre colectivo utilizado para las tres hermanas nórdicas que representaban "Todo el conocimiento", parecidas a las tres Gracias de la mitología griega.

Alfabeto rúnico

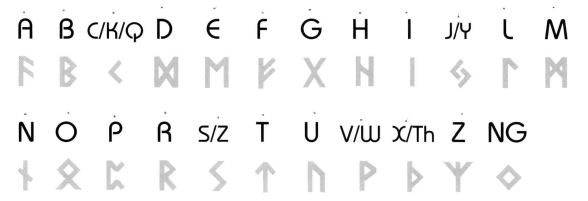

Haga sus propias runas

La mejor manera de conocer las runas es haciéndolas nosotros mismos. El tiempo y esfuerzo invertidos nos confiere no sólo los poderes de sus símbolos antiguos sino también los de nuestra propia fuerza vital. De manera que cuando consultamos las runas, dirigimos la energía universal que fluye a través de nosotros.

Use materiales naturales

La manera más fácil de hacer runas es dibujarlas en un papel o cartón y cortarlas según la forma de las piedras. Sin embargo, recomiendo encarecidamente el uso de materiales naturales, que vibran al ritmo de la energía universal.

Las runas más sencillas pueden hacerse de piedritas planas o guijarros que se encuentran en todas partes: en el jardín, en el campo, en los ríos y en la playa. Si no puede ir a la playa, vaya a un río; no olvide que ahora es posible comprar bolsas de piedrecillas y guijarros en muchos almacenes.

Los antiguos maestros de las runas creían que al tomar una cosa de la naturaleza había que dar algo a cambio; de manera que si recoge las piedras en la playa, a la orilla de un río o en el jardín, deje una ofrenda mágica como un poco de sal o algunos granos de arroz para reemplazar la energía natural que ha tomado.

Recoja unas 30 piedras, de similar forma y tamaño (guarde algunas de repuesto). Es ideal que consiga piedras suaves y bastante planas. Copie las inscripciones rúnicas (vea las páginas 90-101) utilizando pintura acrílica u óleo de colores naturales tales como amarillo ocre o siena quemado,

dependiendo del color de las piedras y sus gustos personales. Es importante que deje una piedra en blanco. Aplique una capa de barniz para protegerlas.

La bolsa

Necesitará una bolsa para guardar las runas. Utilice un pedazo de tela natural como seda, algodón, lino o cuero. Puede atar la bolsa con una cordel o usar una cinta de seda. Otra posibilidad es usar una de sus pañoletas cuadradas preferidas: doble las cuatro puntas de la pañoleta y luego átelas con cáñamo, cordel o cinta.

El paño

Finalmente, necesitará un paño sobre el cual lanzar las runas. Acá también debe utilizar una tela natural (como se indicó atrás) y asegurarse de que sea lo suficientemente grande para poner todas las runas. Puede ser de unos 45 x 45 cm.

Cómo dar poder a las runas

- Primero, cargue las runas con su propia vibración llevándolas consigo durante un día completo y poniéndolas debajo de la almohada o del colchón durante la noche.
- Luego, aplique el siguiente método tradicional para dotar a las runas de energía natural.
- Coloque las runas sobre el paño durante una hora bajo el sol de mediodía.
- Por la noche, déjelas hacia arriba en una cornisa a la luz de la luna llena o creciente (no importa si el cielo está nublado).
- Escriba el alfabeto rúnico en un pedazo de papel y entiérrelo en el jardín o quémelo.
- Ahora sus runas están activadas y listas para ser usadas.

Conozca las runas

Primero mire las imágenes de las runas que aparecen en las páginas 90 a 101; son las llamadas runas "derechas". Pero si las gira 180 grados, la mayoría se ven muy diferentes. Estas son llamadas las runas "invertidas". Algunas runas se ven igual en cualquier posición.

Cómo formular las preguntas

Para familiarizarse con las runas, tome una de la bolsa y mírela. Pregúntese que significa para usted. ¿Despierta alguna idea, imagen o emoción? ¿Le gusta, la odia, le teme, o simplemente no se forma ninguna opinión sobre ella? Ahora consulte la guía de interpretación (vea las páginas 90 a 101) para averiguar lo que la runa significa.

Cuando consulte las runas asegúrese siempre de formular las preguntas en tono positivo. Por ejemplo, si tiene un problema con su pareja, no pregunte "¿Por qué esta relación no funciona?". Pregunte más bien "¿Qué puedo hacer para mejorar esta relación?"

También puede pedir a las runas que le muestren sus potencialidades. Por ejemplo: "¿Qué necesito para conseguir ese empleo?" o "¿Qué pasará si me traslado a otro país?" Si se siente confundido, diga "¿Qué necesito para centrarme?" en vez de "¿Por qué estoy confundido y no sé qué hacer?"

Trabajo con la runa del día

Al comienzo utilice las runas diariamente. Agite suavemente la bolsa, vacíe su mente y pida a las runas que le guíen durante el día. Saque una runa de la bolsa y piense qué significa para usted. Luego consulte la interpretación y vea qué le depara el día. Si es una runa invertida, no suponga que le va a ir mal. Tal vez haya algo que falta en su vida y que deba explorar. Durante el día, observe cómo la runa se relaciona con los eventos, las conversaciones y la energía.

Dos formas de consultar las runas

Existen muchas maneras diferentes de consultar las runas. Es necesario que establezca un ritual para mejorar su concentración, intuición e interpretación. Además de los métodos descritos a continuación, puede tomar al azar las runas de la bolsa y colocarlas según ciertos patrones que se describen al final de este capítulo (vea las páginas 102 a 105). También puede usar diferentes tiradas del Tarot o inventar sus propios patrones cuando tenga más experiencia en la interpretación de las runas.

PRIMER MÉTODO DE CONSULTA

- Prepare el paño de las runas. Póngalo sobre una superficie plana, o en el suelo si prefiere sentarse con las piernas en posición de loto.
- Formule su pregunta y concéntrese.
- Sin mirar, saque de la bolsa cinco runas que parezca le están "hablando", y espárzalas sobre el paño. Si algunas de las runas caen fuera del paño o justo sobre el borde, ignórelas. Sólo debe trabajar con las que quedaron sobre el paño.
- Voltee las runas que hayan caído con la figura hacia abajo, a menos, por supuesto, que se trate de Wyrd, la runa en blanco.
- Ahora interprete las runas en relación con su pregunta y las interpretaciones aplicables.

SEGUNDO MÉTODO DE CONSULTA

- Prepare el paño de las runas. Póngalo sobre una superficie plana, o en el suelo si prefiere sentarse con las piernas en posición de loto.
- Formule su pregunta y concéntrese.
- Esta vez, sostenga la bolsa con una mano, sacúdala suavemente y luego esparza todas las runas sobre el paño. De nuevo, ignore las que están en el borde del paño o hayan caído fuera de él.
- Ponga hacia abajo las runas cuyos símbolos estén boca arriba. Gradualmente, pase sus manos sobre las runas. Luego dé vuelta a las runas que le "hablen". Para los principiantes recomiendo elegir máximo tres runas e interpretarlas. Cuantas más runas voltee, más rápido se hará efectiva la decisión o acción. Si no tiene runas hacia arriba, simplemente quiere decir que la solución (a pesar de lo obvia que pueda ser) se demorará un tiempo.

Lectura de las runas

Para identificar las runas rápidamente use la tabla que se presenta a continuación.
A medida que vaya conociendo los símbolos, abra la mente a otras ideas que pueda asociar
con las claves. Las runas invertidas no siempre son negativas; simplemente le dan un punto
de vista diferente, generalmente relacionado con sus carencias.

Nombre de las runas y claves

	Wyrd	Destino		**Hagall**	Demora		**Tir**	Competencia
	Fehu	Posesiones		**Nied**	Necesidad		**Beorc**	Nuevos comienzos
	Uruz	Fortaleza		**Isa**	Inactividad		**Ehwaz**	Progreso
	Thurisaz	Reto		**Jera**	Cosecha		**Mannaz**	Autoaceptación
	Ansuz	Mensajes		**Eihwaz**	Acción decisiva		**Lagaz**	Intuición
	Raidho	Viaje		**Perth**	Secreto		**Ing**	Logro
	Kenaz	Claridad		**Elhaz**	Autocontrol		**Daeg**	Luz
	Gebo	Relaciones		**Sigel**	Vitalidad		**Othel**	Propiedades
	Wunjo	Éxito						

Significado de los símbolos rúnicos

Para conocer las runas se requiere práctica, de manera que para comenzar siga estas instrucciones. Para leer las runas, use primero las claves, luego relaciónelas con su propia pregunta, y luego pase a las interpretaciones más extensas. Llegará un momento en que sabrá "intuitivamente" lo que significa cada runa.

Wyrd junto a Gebo significa nuevo amor.

Wyrd junto a Raidho sugiere un viaje inminente.

Wyrd

Destino

Esta runa amerita una página entera pues es el punto focal de todas las demás. No lleva ningún número o símbolo. Está en blanco porque proyectamos en ella todas nuestras necesidades y deseos. Debemos considerarla como un lugar vacío donde podemos sentarnos a meditar.

Cuando se interpreta con otras runas, Wyrd significa que lo que va a ser, será. De tal manera tenemos que buscar pistas en las runas acompañantes. Por ejemplo, si Wyrd sale junto a Gebo (Relaciones), es seguro que a nuestra vida llegará un nuevo amor, aunque no lo estemos buscando. Si va acompañada de Raidho (Viaje), lo más probable es que tengamos que viajar, sea esta nuestra intención o no.

Wyrd no es negativa ni positiva. Puede también significar que estamos tratando de descubrir algo que no nos es dado conocer en este momento.

Wyrd es una runa compleja. Nos pide analizar si tenemos el control de nuestras vidas. Destino es tomar decisiones conscientes y aceptar la responsabilidad por nuestras elecciones. Fatalidad es sentirnos impotentes para elegir. ¿Cómo queremos que transcurra nuestra vida?

Fehu

Propiedades

Significa prosperidad y posesiones personales. Es necesario analizar el precio que debemos pagar por tener lo que deseamos. Los logros materiales son importantes, pero recordemos compartir nuestra buena fortuna. Fehu también nos pide meditar sobre lo que en verdad valoramos. ¿Son nuestros valores los propios o hemos adoptado valores ajenos?

Uruz

Fortaleza

Tenemos la capacidad de sobreponernos a todos los obstáculos. Uruz es una runa de vitalidad y situaciones cambiantes. Pero no podemos ser pasivos. Con coraje e integridad personal podemos poner las circunstancias a nuestro favor. Es momento de abandonar el pasado y su carga emocional, aceptar los cambios y liberar nuestro potencial.

Invertida Frustración; abundan las sospechas y las dudas infundadas.

Invertida Las propias dudas y temores nos impiden alcanzar nuestro verdadero potencial.

Thurisaz

Reto

Esperemos un poco antes de tomar decisiones y evitemos actuar impulsivamente. Thurisaz nos previene sobre suponer que conocemos todas las respuestas. Debemos ser cautos y objetivos. Si buscamos el éxito personal, nuestra intuición nos indicará cuándo estamos en el lugar y momento correctos, y es entonces cuando debemos intentar ganar la medalla de oro.

Ansuz

Mensajes

La comunicación nos ayudará a perseguir nuestros sueños. El encuentro con extraños puede indicar felicidad futura. Hablemos, conozcamos y escuchemos para adquirir sabiduría; pero también esperemos lo inesperado. Una sorpresa podrá mejorar nuestra vida.

Invertida Autodecepción evidente; lamentamos haber tomado una decisión apresurada.

Invertida Hay alguien con intereses egoístas en quien no debemos confiar.

Raidho

Viaje

Los viajes están favorecidos, y pueden ser físicos, mentales, emocionales o espirituales. Salgamos en una nueva dirección para descubrir más sobre nosotros y sobre el ancho mundo. Raidho nos pide expandir nuestra percepción a través de ideas, lugares y otras personas. No debemos temer a lo desconocido. Hagamos de nuestro viaje por la vida lo que queremos que sea y no lo que otros creen que debe ser.

Kenaz

Claridad

Esta runa creativa nos ayuda a ver más claramente quiénes somos frente a los demás. Kenaz revela que la pasión es importante en estos momentos. Nuestra felicidad sexual y emocional está en juego, y debemos ser honestos con lo que deseamos. Mientras más sinceros seamos con nuestra propia individualidad, mejores serán nuestras relaciones.

Invertida La vida nos ofrece muchas alternativas; no podemos decidir cuál camino tomar.

Invertida No nos dejemos tentar por las viejas maneras; busquemos las nuevas.

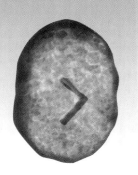

Gebo

Relaciones

Significa éxito en todas nuestras relaciones. Ahora podemos aceptar nuevos compromisos. Se favorecen los nuevos romances, los negocios rentables y toda clase de sociedades. Gebo nos recuerda que las mejores relaciones son aquellas en las que respetamos las necesidades del otro y aceptamos que somos seres individuales.

Wunjo

Éxito

Runa "afortunada". Favorece el trabajo creativo, los hijos, el amor, el éxito profesional y el progreso material. Sin embargo, no podemos esperar que la felicidad nos llueva del cielo. Nuestras habilidades, esfuerzos, buena disposición, carácter y optimismo son la clave de la alegría personal. No renunciemos a ser quienes somos; nuestro verdadero potencial consiste en destacarnos y brillar.

Invertida Esta runa nunca aparece invertida.

Invertida No estamos seguros de nosotros mismos, o creemos que los demás no confían en nosotros.

Hagall

Demora

Hagall nos recuerda una demora en la realización de nuestros planes. Se presentan contratiempos, pero ellos son sólo escalones para llegar a la meta. Ahora vendrán a nosotros las cosas que deseamos, pero debemos prepararnos pues en nuestro camino aparecerán otras personas, situaciones o circunstancias. Con perseverancia alcanzaremos el éxito.

Nied

Necesidad

¿Estamos ignorando nuestras necesidades a causa de los demás? ¿Lo que deseamos es incompatible con lo que necesitamos? Mediante el autoconocimiento podemos comenzar a aceptar que los cambios son necesarios en la vida para que seamos conscientes de nuestras necesidades reales. ¿Nuestras verdaderas necesidades sexuales o emocionales están siendo satisfechas, o sólo jugamos un juego por temor al rechazo?

Invertida Esta runa nunca aparece invertida.

Invertida En este momento estamos muy necesitados: nos falta valorarnos y reconocer nuestro merecimiento. No caigamos en la autodestrucción.

Isa

Inactividad

Parecemos estar en un limbo, como si el tiempo se hubiera detenido y nos impidiera avanzar o retroceder. Esta runa puede significar frialdad en las relaciones o falta de realización. Es el momento de mirar qué pasa en todas las áreas de nuestra vida; de hacer una pausa, reflexionar, dar un compás de espera para nuestros planes. Preparémonos para el futuro y no carguemos con el pasado.

Jera

Cosecha

Depende de nosotros obtener los frutos de nuestro esfuerzo. Si nos preparamos ahora, en el futuro llegarán muchas más oportunidades. Como sucede con cualquier cosecha, debemos trabajar duro: regar nuestras ideas, cultivar nuestra confianza y fertilizar nuestras habilidades. De esta manera pronto llegará la celebración y la alegría a nuestra vida.

Invertida Esta runa nunca aparece invertida.

Invertida Esta runa nunca aparece invertida.

Eihwaz
Acción decisiva

Para progresar debemos realizar acciones decisivas. No aplacemos la oportunidad de cambiar nuestra vida. La previsión y la precaución son cualidades muy valiosas, pero también lo es la habilidad en aceptar el cambio, en vez de temerle. Eihwaz también nos da la oportunidad de descubrir la verdad de los secretos escondidos, especialmente si aparece junto a Ansuz.

Perth
Secreto

Conocida como la "runa del misterio", Perth nos indica que ha llegado el momento de descubrir la verdad. Tomemos las riendas de nuestro destino en vez de creer que está predeterminado. Nadie puede forzarnos a hacer alguna cosa, a menos que así lo elijamos. También indica "compatibilidad sexual" si aparece junto a Uruz, Gebo o Wunjo. Si se toma sola, indica que un secreto está a punto de ser revelado.

Invertida Esta runa nunca aparece invertida.

Invertida Abandonar el pasado; no vivir según las expectativas de los demás. Dudamos de nuestra capacidad de tomar las decisiones correctas; tomemos una ya y obtengamos ese poder.

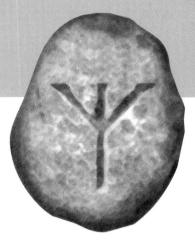

Elhaz

Autocontrol

Esta runa nos dice que estamos a punto de atravesar un período de buenas y nuevas influencias. Una nueva amistad, una atracción sentimental o una relación profesional podrían desarrollarse. Nos sentimos en control de nuestra vida, pero no debemos volvernos engreídos.

Sigel

Vitalidad

Es una runa de éxito. Ahora tenemos el poder de introducir cambios a nuestra vida. Aunque tenemos montañas de energía, podríamos sobreestimar nuestras capacidades. Si nos preocupa la salud, Siegel es señal de vitalidad, juventud y rejuvenecimiento de mente, cuerpo y espíritu.

Invertida Nos sentimos vulnerables y nuestra intuición no funciona bien; debemos saber que hay personas que podrían aprovecharse de nuestra bondad.

Invertida Esta runa nunca aparece invertida.

Tir

Competencia

Este es el momento de hacer progresos rápidos si buscamos avanzar en nuestra carrera. Nuestra motivación y espíritu nos traerán el éxito en cualquier empresa. Si tenemos un romance, esta runa es señal de indiscutible pasión y sentimientos ardientes. Si buscamos un nuevo amor, significa romance, pero cuidado con los rivales.

Beorc

Nuevos comienzos

Beorc nos habla de reorganizar el corazón. Es el momento de abandonar nuestro bagaje emocional y librarnos de las culpas del pasado. Ahora podemos comenzar de cero. Esta runa siempre indica el nacimiento de algo, sea un nuevo yo, un nuevo amor, o un niño mental o físico. Alimentemos nuestras ideas y rompamos el cascarón.

Invertida Nos falta iniciativa; desatemos nuestro verdadero potencial y luchemos por aquello en lo que creemos. En asuntos de amor, no debemos hacer evidentes nuestros sentimientos o lo que estamos pensando.

Invertida No somos capaces de liberarnos del pasado pero sabemos que es tiempo de avanzar. ¿Cuáles son nuestros verdaderos valores?

Ehwaz

Progreso

Esta runa representa toda clase de viajes y aventuras. Estamos a punto de mudarnos a una nueva casa, modificar nuestros planes a largo plazo o cambiar nuestro punto de vista. No tenemos otra alternativa que levantarnos y seguir. Sólo debemos cuidar que nuestro orgullo no se interponga en el camino de nuestro propósito verdadero.

Mannaz

Autoaceptación

Escuchemos a los demás. Los consejos o la interacción objetiva nos abrirán a una nueva perspectiva de la vida. Aceptemos nuestras responsabilidades y no vayamos con la marea. Aceptemos quiénes somos, no lo que pensamos que deberíamos ser.

Invertida Nos encontramos estáticos, incapaces de avanzar por miedo a lo que piensen los demás. Hagamos nuevos contactos y estemos prestos para la aventura en vez de sentir temor.

Invertida Sencillamente parece que los demás no están en nuestra onda; quizás no somos totalmente honestos sobre lo que queremos.

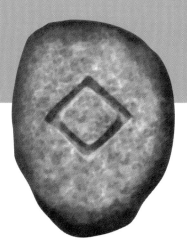

Lagaz

Intuición

El viento corre a nuestro favor, pero debemos confiar en la intuición y permanecer en contacto con nuestra voz interior. Es el momento de seguir adelante y no temerle al cambio. Si aparece junto a Mannaz, un amigo psíquico nos dará magníficas noticias.

Ing

Logro

Ahora podemos lograr lo que deseemos y esta runa indica finales exitosos. Ing puede indicar que tendremos una oportunidad memorable que mejorará definitivamente nuestra vida, como un nuevo trabajo (con Fehu) o un nuevo amor (con Gebo o Wunjo).

Invertida Necesitamos concentración para diferenciar lo real de lo ilusorio. Aprendamos a fluir con la corriente, en vez de resistirnos a ella.

Invertida Esta runa nunca aparece invertida.

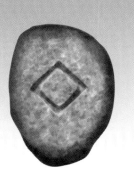

Daeg

Luz

Es una runa positiva, que indica que todo lo que hagamos ahora nos traerá felicidad, siempre y cuando creamos en nosotros mismos. Tenemos visión y anticipamos las cosas, y conocemos la mejor manera de manejar las situaciones. El sol brilla sobre nosotros. Comencemos de nuevo y convirtamos nuestros sueños en realidad.

Othel

Propiedades

El dinero puede comprar muchas cosas, pero no necesariamente nos hace felices. Los beneficios financieros pueden venir a nosotros ahora, pero nuestros valores sobre el amor, el trabajo, la amistad y nuestro estilo de vida están en discusión. Othel indica que debemos concentrarnos en lo que deseamos, y, más importante, preguntarnos "¿por qué?".

Invertida Esta runa nunca aparece invertida.

Invertida Podemos depender demasiado de la riqueza material; en asuntos personales, no podemos comprar la solución a una situación difícil. Así no se obtiene el amor verdadero.

Composiciones rúnicas

Podemos usar las runas para hacer composiciones, al igual que usamos el Tarot para hacer tiradas. Enseguida presentamos cuatro composiciones para principiantes. Con algo de práctica, podemos diseñar nuestras propias composiciones.

Composición de una runa

Es la más simple de las composiciones que, como lo hace la runa del día, nos da una respuesta rápida a una pregunta específica. También podemos formular preguntas abiertas, tales como: "¿Qué necesito saber sobre mí mismo?"

- Simplemente, busque un lugar tranquilo, agite su bolsa de runas, tome una y colóquela con el símbolo hacia arriba sobre el paño.
- Antes de colocar la runa, concéntrese en la pregunta. Los siguientes son ejemplos de posibles preguntas:

    "¿En qué debo concentrarme justo ahora?"

    "¿Qué me impide avanzar?"

    "¿Qué piensa esa persona de mí en este momento?"

O puede solo desear un "Sí" o "No" como respuesta a una pregunta sencilla como:

"¿Me ama?"

"¿Lo amo?"

"¿Somos el uno para el otro?"

"¿Conseguiré ese empleo?"

"¿He tomado la decisión correcta?"

"¿Debo dejar a mi pareja?"

"¿Debo renunciar a mi empleo?"

- Sin importar cuál runa elija, si aparece al derecho la respuesta es "Sí", invertida, generalmente es "No". Sin embargo, puede usar la composición de problema, dirección, resultado (ver la página 103) para confirmar la respuesta. Para preguntas abiertas, busque la interpretación de la runa correspondiente, que le llevará a la respuesta.

Si   *No*

Composición de problema, dirección, resultado

Se trata de una composición detallada, pero aún sencilla. Úsela para averiguar qué está sucediendo en su vida en este momento, y cómo enfrentarlo.

- Relájese y realice su ritual de apertura. Concéntrese en la pregunta.
- Elija tres runas y colóquelas frente a usted, sobre el paño, en el orden que se indica a continuación: todas se ponen hacia arriba y se interpretan de izquierda a derecha.

1 Problema
2 Dirección
3 Resultado

CÓMO INTERPRETAR LA COMPOSICIÓN

- La primera runa representa la pregunta.
- La runa del centro le indica la dirección que debe seguir en relación con el problema.
- La última runa le indica el resultado del problema.

EJEMPLO: **¿Qué pasos debo dar en mi carrera?**

1 Problema – Sigel: Está tratando de abarcar demasiado. Tiene montones de energía, pero no se sobreactúe.

2 Dirección – Elhaz, invertida: No se engañe usted mismo. Hay personas que se aprovecharán de su vitalidad. Relájese.

3 Resultado – Ehwaz: Es momento de avanzar. La aventura llama a su puerta, dele la bienvenida.

Si es honesto consigo mismo, como sugiere Elhaz, y no cae en la trampa de creer todo lo que escucha, avanzará en una mejor dirección.

Las runas simplemente le ayudarán a llevar una vida más afortunada.

1

2

3

Composición del destino

Use esta tirada cuando necesite orientación para
manejar problemas actuales y desee conocer el
resultado inmediato y en el largo plazo.

• Relájese y realice el ritual de apertura. Concéntrese
en la pregunta.

• Seleccione cuatro runas y colóquelas frente a usted
sobre el paño, en el orden que se indica a la
derecha. En esta composición, las runas significan
la energía de la tierra, agua, fuego y aire,
respectivamente.

1 Resultados / retos en la práctica
2 Lecciones o pruebas emocionales
3 Destino personal
4 Dónde buscar el conocimiento para lograr la
felicidad futura

CÓMO INTERPRETAR LA COMPOSICIÓN

Cada runa representa un aspecto de nuestro destino.

EJEMPLO: **Quiero un cambio en mi carrera, pero me
siento atrapado en una encrucijada.**

1 Resultados / retos en la práctica – Othel: El reto es
preguntarse si en realidad desea cambiar sólo por
utilidad material o por un real sentido de vocación.

2 Lecciones o pruebas emocionales – Tir: Ahora puede
progresar rápidamente, pero su motivación y espíritu
se pondrán a prueba. Lo que las runas le enseñan es
que debe ser guerrero de su propia causa.

3 Destino personal – Ansuz: Su destino personal
se decidirá cuando una sorpresa traiga cambios
positivos a su vida.

4 Dónde buscar el conocimiento para lograr la
felicidad futura – Raidho: en los viajes podrá
encontrar sabiduría y conocer mejor su futuro
lejano, ya sea por conversaciones con sus
compañeros de viaje o con extraños que encuentre
en el camino. Salga de vacaciones para propiciar
los eventos o dedíquese a trabajos que requieran
viajar.

7

6

5

4

Composición del Árbol de la Vida

El Árbol de la Vida es uno de los símbolos más
antiguos y más sagrados que existen. Esta
composición revela niveles más profundos de
conocimiento sobre quiénes somos y cuál será el
resultado de nuestros actuales deseos y necesidades.

- Relájese y realice el ritual de apertura. Con esta
  tirada no es necesario formular preguntas.
- Seleccione siete runas y colóquelas frente a usted
  sobre el paño, en el orden que se muestra a la
  derecha.

1   2

1 Lo que debe aprender
2 Sus retos
3 Qué runa puede guiarlo
4 El poder que le ayudará
5 Lo que debe evitar
6 Lo que debe soltar
7 Lo que le traerá este conocimiento

CÓMO INTERPRETAR LA COMPOSICIÓN
Cada runa representa un aspecto del viaje de su vida.

EJEMPLO
1 Lo que debe aprender – Beorc: Soltar el pasado
y aceptar que ha llegado el momento de nuevos
comienzos.
2 Sus retos – Lagaz, invertida: Su imaginación lo
desafiará. Necesita concentrarse para diferenciar
lo real de lo fantástico.

3 Qué runa puede guiarlo – Elhaz: Está a punto de
atravesar un período de influencias afortunadas y
podría encontrar una nueva amistad o amor.
4 El poder que le ayudará – Jera: Las semillas de
nuevas ideas y su potencial creativo para el
crecimiento le ayudarán. Cultive su confianza.
5 Lo que debe evitar – Wunjo: Aunque se trata de una
runa afortunada, no piense que la felicidad le caerá
del cielo. Sus habilidades, buena disposición y
optimismo son la clave de su dicha personal.
6 Lo que debe soltar – Thurisaz: Debe abandonar la
idea de que conoce todas las respuestas. Sea
precavido y objetivo en todos sus compromisos.
7 Lo que le traerá este conocimiento – Hagall: Las
cosas que desea le llegarán a su debido tiempo,
aunque se interpongan personas o circunstancias.

LECTURA DEL AURA

5 • LECTURA DEL AURA

La palabra "aura" viene del griego y significa aire. El aura es nuestra energía personal, formada por partículas electromagnéticas que irradia nuestro cuerpo en muchas capas. Todos los seres vivos manifiestan este campo áurico.

¿Qué puede revelar la lectura del aura sobre nuestro futuro?

El aura es nuestra fuerza vital y describe el estado de nuestro cuerpo, mente, espíritu y alma. Históricamente, los pintores han representado el aura como un halo alrededor de la cabeza, pero de hecho el aura irradia todo a nuestro alrededor, especialmente desde los campos especiales de energía conocidos como chacras. El aura tiene muchos colores, que cambian con nuestro estado de ánimo, pensamientos y sentimientos.

La lectura del aura es un método cierto de autodesarrollo y conocimiento del futuro. Podemos comenzar haciendo elecciones para nosotros mismos y entender cómo las auras de otras personas pueden inhibirnos, atraernos o sobrecargarnos. Cuando conocemos el color predominante de nuestra aura, estamos en posición de realizar cambios internos o de modificar nuestra propia energía; podemos conocer nuestros deseos secretos y actuar conforme a ellos; podemos decidir ser más compasivos, menos críticos y tener más

confianza. Amar nuestra aura significa aprender a amarnos a nosotros mismos. Y amándonos podemos trabajar para mejorar nuestra fortuna.

Ventajas de leer nuestra aura

- Conocer nuestros deseos secretos.
- Descubrir la energía que irradiamos en todo momento y cómo aprovecharla para el futuro.
- Desarrollar más autoestima y amor por nosotros mismos.
- Desarrollar nuestra capacidad de sentir las auras de otras personas, para saber qué esperar de ellas.
- Revelar las cualidades que nos faltan y cuáles podemos desarrollar.

La aurora boreal es uno de los más extraordinarios fenómenos electromagnéticos de la naturaleza.

Historia del aura

Ya desde el año 4000 a.C. los místicos de India y
China describían el aura, conocida como "chi" o
"prana". Y en el siglo VI a.C. la interacción entre
los colores y el campo eléctrico humano se usaba
con fines curativos en el antiguo Egipto. El filósofo
y matemático griego Pitágoras utilizaba vibraciones
musicales y color para sanar.

Muchas personas han visto el aura. El más famoso
fue Nostradamus, astrólogo y físico que vivió en el
siglo XVI, quien afirmó ver el aura de un monje y
correctamente predijo que un día ese monje se
convertiría en el papa Sixto V. En la naturaleza, la
"aurora boreal" es un fenómeno meteórico luminoso
con cualidades eléctricas, visible cerca de los Polos.

A pesar de la naturaleza mística de las auras
humanas, ellas han fascinado a médicos y científicos
durante miles de años. Paracelso, una de las figuras
clave de la ciencia médica del siglo XVI, creía que
del cuerpo humano emanaba una fuerza vital. La
primera persona que pudo fotografiar el aura fue el
ingeniero croata Nikola Tesla, en 1890. Le siguieron
Semyon y Valentina Kirlian (quien dio su nombre a
la técnica de la fotografía Kirlian) en los años 30
del siglo pasado. Más recientemente, en 1980, un
inventor llamado Guy Coggins desarrolló una técnica
para procesar la imagen del aura y la cámara
procesadora de imágenes del aura es hoy por hoy una
de las formas más conocidas de ver.

Mural tibetano de deidades budistas con sus auras.

Auras y chacras

Muchas tradiciones orientales sostienen que la energía fluye a través del cuerpo, comunicada por centros de energía, o chacras, que se asocian con colores especiales. Los colores de los chacras vibran con nuestro estado físico, emocional o mental, y si ellos cambian, nuestra aura se modifica.

Cómo despertar la energía de los chacras

Intente este sencillo ejercicio para despertar la energía de los chacras y equilibrar el aura. Mueva sus manos lentamente sobre cada uno (ver la ilustración), a una distancia de unos 5 cm del cuerpo. Manteniendo las manos inmóviles sobre cada chacra, piense en el color asociado e imagine que irradia sólo ese color. ¿Se siente bien, incómodo o indiferente? Si se siente bien con ese color, lo está expresando bien. Si se siente incómodo o indiferente, debe trabajar sobre las cualidades asociadas con ese color, para mejorar su estilo de vida y felicidad futura.

El cuidado del aura

Para cuidar su aura, primero dele un "masaje". Sin tocar el cuerpo, junte las manos formando una copa. Comience por los pies y lentamente desplace las manos hacia arriba, como si estuviera haciéndose un barrido, hasta llegar a la coronilla. El masaje debe durar entre tres y cuatro minutos.

Durante el masaje, ¿siente diferentes puntos calientes y fríos? ¿Siente el aura suave, irregular, uniforme o dispareja de alguna manera? Tome nota de los lugares donde se manifiesta la incomodidad o el frío, y luego verifique cuál es el chacra más cercano. Lo más probable es que el color correspondiente se encuentre bloqueado, de manera que debe trabajar para incorporar a su vida las cualidades de ese color.

Ubicación de los siete chacras y sus correspondientes colores de aura.

Cuestionario sobre el aura

Antes de usar el aura para que nos hable sobre la dirección de nuestro futuro, debemos evaluar su estado actual. ¿Está su energía equilibrada o necesita ajustes? Responda este corto cuestionario para determinar el verdadero estado de su aura.

Por cada "Sí" que responda, anótese un punto; luego sume los puntos para tener la evaluación de su aura.

	Sí	No
Atraigo gente que termina haciéndome daño.	☐	☐
Envidio a mis amigos.	☐	☐
Me da un ataque de celos si mi pareja habla con otra persona.	☐	☐
Odio las críticas.	☐	☐
Mis relaciones siempre son complicadas.	☐	☐
Encuentro difícil decir no.	☐	☐
No me siento cómodo en un lugar extraño.	☐	☐
Prefiero ver televisión que hacer ejercicio.	☐	☐
Tengo grandes ideas pero nunca las pongo en práctica.	☐	☐
Me estresan los problemas de los demás.	☐	☐
Me asusta tomar mis propias decisiones.	☐	☐
Los embotellamientos de tráfico me desesperan.	☐	☐

Puntaje total

11+ Debe fortalecer su aura.

8–11 Su aura requiere un poco más de atención.

5–8 Su aura está en buena forma, manténgala así.

1–5 Su aura es vibrante y poderosa. ¡Cuídela!

Desarrollo del aura

Al conocer el estado de su aura puede desarrollarla aplicando las técnicas que se describen a continuación. Recuerde que su aura cambia con usted; es posible que responda de manera diferente a estas técnicas si practica los ejercicios todos los meses.

Fortalezca su aura

- Siéntese en un lugar tranquilo. Sostenga en una mano un cristal de cuarzo blanco y respire lenta y profundamente.
- Concéntrese en su mano y en el poder de la energía del cristal. Durante dos o tres minutos, imagine su propia energía áurica fusionándose con la energía del cristal para restaurar su propia energía vital.
- Repita este ejercicio todas las mañanas si su puntaje en el cuestionario sobre el aura fue alto (vea la página 111). Enseguida dígase a sí mismo que la energía de su aura es armoniosa y que la va a cuidar con esmero.

Mejore su intuición

A menudo conocida como el "sexto sentido", reacción instintiva o percepción psíquica, la intuición es el sentido clave que nos habla sobre nuestra propia aura y las de los demás. Si somos capaces de sentir las auras de quienes nos rodean, podremos decir si la relación con un extraño o con una posible pareja será buena; cómo alternar con la gente en situaciones profesionales, y si debemos acercarnos a alguien por cuestiones de trabajo, conocerlo en un ambiente meramente social o confiar en esa persona en asuntos de dinero. Esto significa que podremos tomar decisiones.

- Puede realizar esta técnica de visualización en cualquier lugar, pero es mejor buscar un sitio tranquilo y a solas.
- Primero, relájese y respire lentamente durante algunos minutos; véase recorriendo un largo camino. Imagine dónde ha estado y lo que ha hecho antes de llegar a este camino y por qué se encuentra allí.
- Ahora está en medio de un bello paisaje. Hacia su izquierda hay una enorme gruta, donde decide descansar por un momento. En esta gruta hay una silla dorada en la cual se sienta.
- De la parte de arriba de la gruta sale un rayo de luz

intensamente blanca que cae sobre su cabeza; siente su energía que le da gran fuerza vital.

- Imagine la luz recorriendo todos los rincones de su cuerpo, por dentro y por fuera. Déjela reposar en la zona debajo del ombligo, conocida como "hara", el centro de su fuerza vital. Literalmente, su energía se ha recargado.
- Ahora imagine que esa energía toma el color que usted desea, Si ama la vida, puede pensar por ejemplo en el rojo. Visualice la luz coloreada recorriendo todas sus células, y luego irradiándose más allá de su cuerpo, hacia fuera dentro de la gruta.

En su mente también existen paisajes maravillosos.

- Imagine que se pone de pie y sale de la gruta, con el color todavía irradiando mientras recorre el camino.
- Ahora se encuentra con un amigo que ha estado en su propia gruta secreta y se imagina el color de su aura. ¿Choca con la suya? ¿Desearía irradiar ese color, o se siente contento con el suyo?
- Ahora vuélvase, y antes de soltar la imagen visualice su propia aura en reposo, pero aún irradiando de su cuerpo. Use esta técnica para revitalizar su propia aura cada vez que lo necesite.

Cómo ver nuestra aura

Literalmente podemos aprender a "ver" nuestra propia aura. Requiere de práctica, pero conociendo el color predominante de nuestra aura sabremos cómo optimizar nuestras fortalezas y cualidades, a la par que trabajamos sobre nuestras metas futuras.

PRÁCTICA CON LA VELA

- Al atardecer, siéntese tranquilamente en una habitación a media luz, cuidando que no le llegue la brisa.
- Encienda una vela y colóquela frente a usted sobre una mesa.
- Concéntrese en la llama y observe cómo parpadea y se quema. Cuanto menos se mueva, mejor. Enfoque su atención sobre la llama durante algunos segundos, y con su visión periférica comenzará a ver un brillo alrededor de la llama.
- Trate de imaginar los colores del aura de la vela. No lo haga durante más de diez segundos, pues su vista puede cansarse.
- Piense qué color le atrae; quizás representa un aspecto o cualidad importante para su vida en este justo momento o que necesita su atención.

PRÁCTICA CON EL ESPEJO

- Elija también una tarde tranquila cuando se sienta relajado y un lugar con poca luz. Asegúrese de que nadie le interrumpa.
- Siéntese frente a un espejo. Detrás de usted, sobre una mesa o en una repisa, coloque una vela encendida que no se refleje en el espejo, pero que produzca un ligero brillo detrás de usted cuando se mire.
- Mire fijamente la imagen de sus ojos, relájese y sienta su respiración: vacíe su mente de todo pensamiento, como si estuviera meditando.
- Dependiendo de su habilidad para ver el aura, podría tomarle algunos minutos antes de percibir a su alrededor el brillo de la vela iluminando su aura. Recuerde, se necesita práctica, y tanto la imagen como los colores cambiarán con su estado de ánimo.
- Cuando pueda ver el aura que la vela crea a su alrededor, trate de hacer el mismo ejercicio sin la vela. Concéntrese en la imagen del espejo, y en pocos minutos, usando su visión periférica, verá y sentirá la radiación del color de su aura.

Colores del aura

Los colores de nuestra aura son vibraciones de energía, partículas en espiral que emanan de la carga electromagnética de nuestro campo de energía. Nos hablarán sobre nuestros deseos secretos, cómo podemos programar nuestro futuro y qué podemos llegar a lograr. Hay diez colores básicos que probablemente podamos ver en nuestra aura:

Violeta

Imaginación, crecimiento espiritual

Lavanda

Lo oculto, moderación

Turquesa

Inspiración, ideales

Azul

Intuición, sensibilidad

Aguamarina

Libertad, compasión

Verde

Crecimiento, equilibrio, ambición

Naranja

Creatividad, originalidad

Amarillo

Optimismo, claridad mental

Rojo

Poder, pasión, acción

Rosado

Amor, romance, anhelos

Siga los pasos que se indican en la página siguiente para encontrar el color dominante de su aura y determinar su potencial y sus metas futuras.

Cómo conocer el color dominante de nuestra aura

A medida que cambian nuestros estados de ánimo, sentimientos y circunstancias, también cambia nuestra aura. A continuación presentamos una técnica sencilla que podemos utilizar para descubrir cuál de los diez colores básicos predomina en nuestra aura.

- Lea las claves incluidas en la columna Estado de ánimo, y califíquelas de 1 a 10. Asigne 10 a la palabra que mejor lo identifique. Así a las demás claves hasta asignar 1 a la que cree casi no lo identifica. Por ejemplo: 10 a Amante de lo oculto, 9 a Soñador, 8 a Entusiasta, 7 a Libre y descomplicado, y así sucesivamente.

- Califique las claves de las columnas Sentimientos y Pensamientos siguiendo la misma técnica.
- Ahora pase sus puntajes para cada palabra a la tabla de colores de la página 117. Si obtuvo 10 para Ambicioso en la columna Estado de ánimo, escriba 10 al lado de Ambicioso en la banda verde de la carta de colores.

Estado de ánimo		Sentimientos		Pensamientos	
Coqueto		Psíquico		Dinámico	
Juguetón		Inspirado		Inteligente	
Ambicioso		Impasible		Reflexivo	
Libre y descomplicado		Calmado		Concentrado	
Extravertido		Espontáneo		Seguro de sí mismo	
Diplomático		Sensible		Disperso	
Soñador		Vibrante		Sensual	
Amante de lo oculto		Apasionado		Intuitivo	
Frustrado		Poco serio		Creativo	
Entusiasta		Afortunado		Indeciso	

- Haga lo mismo con todas las palabras, hasta cuando tenga todos los puntajes en la carta de colores.
- Ahora sume los puntajes para cada color del aura. Por ejemplo, para Violeta sume los puntajes de Soñador, Psíquico y Reflexivo, y anote el total al final. El color con el puntaje total más alto es el color dominante de su aura.
- Si dos o más colores obtienen igual puntaje, cierre los ojos y visualice los colores, uno a uno. Aquel color que pueda "ver" más fácilmente es el color principal de su aura.

Color del aura	Estado de ánimo		Sentimientos		Pensamientos		Total
Violeta	Soñador		Psíquico		Reflexivo		
Lavanda	Amante de lo oculto		Sensible		Intuitivo		
Turquesa	Frustrado		Inspirado		Creativo		
Azul	Diplomático		Calmado		Concentrado		
Aguamarina	Libre y descomplicado		Poco serio		Indeciso		
Verde	Ambicioso		Impasible		Seguro de sí mismo		
Naranja	Entusiasta		Afortunado		Inteligente		
Amarillo	Juguetón		Vibrante		Disperso		
Rojo	Extravertido		Apasionado		Dinámico		
Rosado	Coqueto		Espontáneo		Sensual		

Los colores del aura

Ahora podemos buscar el color predominante de nuestra aura y descubrir tanto nuestro rumbo futuro como el potencial de nuestras relaciones.

- Use la guía rápida que presentamos a continuación para descubrir el mensaje oculto o secreto del color predominante de su aura.
- Luego, consulte el perfil del color dominante de su aura para ver qué le revela sobre su "Rumbo futuro".
- Haga regularmente el test de las claves para verificar si responde de la misma manera.

Color dominante del aura	Deseo secreto
Violeta	Despertar espiritual
Lavanda	Amor incondicional
Turquesa	Cambio de estilo de vida
Azul	Encontrar la verdadera vocación
Aguamarina	Aventura
Verde	Fama/prestigio
Naranja	Viajes/diversión
Amarillo	Independencia
Rojo	Éxito financiero
Rosado	Nuevo romance/pareja

Violeta

Rumbo futuro Nos sentimos más compasivos que antes y nuestros pensamientos son intuitivos, de manera que podemos desarrollar conexiones psíquicas con amigos o parientes a quienes hace tiempo no vemos. Reflexionemos cuidadosamente sobre nuestro rumbo y conectémonos con nuevos amigos dedicados a las artes alternativas, que nos traerán felicidad futura.

Relaciones Necesitamos una pareja que comprenda nuestros estados de ánimo y nos traiga de vuelta a la tierra. Idealizamos las relaciones. Tratemos de aceptar que nadie es perfecto. Los solteros atraerán a sus vidas músicos, poetas y maestros espirituales.

Lavanda

Rumbo futuro Canalicemos nuestra compasión ayudando a otros. Nuestro pensamiento es claro; debemos tomar decisiones precisas e inspirarnos en nuestra imaginación. Ha llegado el momento de calmarnos, dar largos paseos por el campo o disfrutar de una actitud relajada frente a la vida. Bendigamos el tiempo libre en vez de preocuparnos por el ajetreo diario.

Relaciones Nuestra aura atraerá a personas descomplicadas y confiables. En este momento podemos estar necesitando una relación amorosa que cuide de nosotros. Si nuestra pareja o pretendiente está demasiado estresado, hablemos francamente al respecto para alcanzar la armonía mutua.

Turquesa

Rumbo futuro Tomemos una actitud positiva hacia nuestro crecimiento psicológico. El futuro está en nuestra mente, y los proyectos pueden tener un desarrollo positivo. Optemos por una atmósfera social relajada fuera del horario de trabajo y hagamos ejercicio físico para canalizar nuestros altos niveles de energía. Comuniquemos nuestras ambiciones.

Relaciones Siendo descomplicados y románticos, necesitamos un amor aventurero y divertido. La interacción intelectual y nuestra propia libertad son esenciales para el crecimiento personal. Podemos hablar con nuestra pareja de nuestra independencia. Los solteros atraerán admiradores con buen sentido del humor.

Azul

Rumbo futuro Nuestra mente y sentimientos están en equilibrio y tendremos buenas corazonadas que darán sus frutos en el largo plazo. Somos sensibles frente a las necesidades de los demás. Estamos listos para asumir mayores responsabilidades y pronto emprenderemos toda clase de proyectos y desarrollaremos nuevas e importantes estrategias para alcanzar nuestras metas.

Relaciones Justo ahora necesitamos una relación íntima. Una pareja creativa nos traerá la alegría que buscamos, siempre que exista compatibilidad sexual. Los solteros atraerán a sus vidas un admirador leal; tomará un tiempo llegar a conocerlo, pues será desconfiado por naturaleza.

Aguamarina

Rumbo futuro Aunque nuestro estado de ánimo fluctúa entre sentirnos vulnerables y despreocupados, podemos organizar nuestras brillantes ideas creativas y hacerlas realidad. Nos encontramos en transición y nuestra carrera dará un vuelco. Con elevados niveles de energía y autoconfianza podremos tomar decisiones importantes. El futuro se nos revela brillante y jovial, dejémoslo fluir.

Relaciones Necesitamos una relación despreocupada e intelectualmente estimulante. Si tenemos pareja, realmente estamos sintonizados con ella, pero no es el momento de comprometernos. El sexo será exorbitante y divertido. Los solteros atraerán a su mundo a personajes igualmente fascinantes e impredecibles.

Verde

Rumbo futuro Siendo personas motivadas y de voluntad férrea, necesitamos prestigio, fama, o una meta a la cual llegar. Trabajemos duro y demostremos nuestro talento a quienes pueden ayudarnos. Con pensamientos sobre cómo ganar más dinero o mejorar nuestro estilo de vida, el futuro luce prometedor si nos adherimos al camino elegido.

Relaciones Estamos determinados a hacer que nuestra relación sentimental actual funcione en el largo plazo. Nuestra actitud frente al amor, al sexo y al placer sensual es muy sensata, y pronto se resolverá en una asociación mutuamente ambiciosa. Los solteros atraerán a jóvenes empresarios financieros, ejecutivos maduros o benefactores acaudalados.

Naranja

Rumbo futuro Originales y seguros, atravesamos por un período de buena suerte. Es el momento de embarcarnos en esos proyectos que hemos estado posponiendo. Tenemos excelente empatía con la gente y un talento natural para decir las cosas correctas en el momento oportuno. Salgamos a generar ese sentimiento generalizado de optimismo y seremos recompensados.

Relaciones Justo ahora necesitamos montones de espacio. Extravertidos y amantes de la diversión, nos encantan los estímulos mentales sin ningún compromiso emocional. Estamos a punto de disfrutar de una etapa sexual temeraria. Si buscamos amor, nuestra aura descomplicada atraerá parejas desenfrenadas y amantes de la aventura.

Amarillo

Rumbo futuro Entusiastas y juguetones, curiosos acerca de todo y de todos. Nuestras ambiciones son creativas y nuestra actitud de amantes de la diversión es contagiosa. Hagamos nuestra fortuna personal comunicando todas nuestras ideas. Llamadas telefónicas, correos electrónicos y otras operaciones nos traerán algunas oportunidades que cambiarán nuestra vida.

Relaciones Nuestra aura coqueta atraerá al sexo opuesto como la llama a las polillas. Debemos advertir a nuestra pareja o nuevo amor que estamos más interesados en divertirnos que en comprometernos. Surgirán algunos retos pero son de los que nos gustan: una pareja romántica o un amante clandestino.

Rojo

Rumbo futuro Nuestra aura dinámica y carismática no pasará desapercibida. Podemos hacer el doble de trabajo que nuestros colegas y estamos equipados para maximizar el éxito. Iniciemos nuevas empresas ahora para lograr gran fortuna en los meses por venir. Apasionados y motivados, podemos lograr todo lo que nos propongamos.

Relaciones Pasión es nuestra contraseña y nos enloquece el sexo. Las cartas muestran evasión llena de diversión y también una pareja que se ajusta a nuestra naturaleza radical. El futuro traerá asuntos escandalosos y prohibidos que debemos enfrentar. El aura de los solteros atraerá románticos en serie y compañeros de una noche: deben estar seguros de qué desean.

Rosado

Rumbo futuro
Concentrémonos en nuestra felicidad futura, mientras ideas y pensamientos de amor llenan nuestra mente. En este momento somos felices con nuestra carrera y nuestra personalidad nos permite sobresalir. Es el momento de tomar decisiones clave y aceptar la responsabilidad de nuestros actos.

Relaciones Necesitamos una pareja romántica y sexualmente creativa. Si estamos encariñados, no nos sentimos listos para comprometernos. Enamorados del amor nunca conoceremos a quien está a nuestro lado. Démosle tiempo. Esta seductora aura atraerá admiradores descomplicados.

EL PÉNDULO

6 • EL PÉNDULO

El péndulo es un peso atado a un hilo, cadena o cuerda, que sirve para leer los patrones de energía universal a través de nuestra conexión vibratoria inconsciente con el cosmos.

¿Qué revelan las oscilaciones del péndulo?

Podemos utilizar el péndulo para contestar prácticamente cualquier pregunta y para revelar más acerca de nuestros deseos y sentimientos más profundos. Lo importante es la manera de formular las preguntas. No se debe preguntar: "¿Debo salir con Juan o con Miguel?" ni tampoco: "¿Cómo puedo mejorar mi vida?" El péndulo sólo responde "Sí", "No", "No sé" o "No quiero contestar". Entonces podemos preguntar: "¿Juan me ama?", "¿Miguel me ama?" y "¿Será soleado el domingo?" También podemos preguntar: "¿Soy realmente feliz en esta relación?" o "¿Me irá mal si viajo a otro país para comenzar una nueva vida?

Ventajas de consultar el péndulo

Consultando el péndulo podemos:
• Hallar objetos perdidos.
• Tomar decisiones fácilmente.
• Seleccionar una posible pareja.
• Comprender nuestros deseos inconscientes.
• Formular preguntas Sí/No sobre el futuro.
• Evaluar la situación de una persona.

Historia del péndulo

El péndulo ha sido utilizado durante miles de años como artefacto mágico para revelar deseos secretos, hallar objetos perdidos, conocer el sexo de niños por nacer y escoger la fecha para celebrar eventos especiales. En el antiguo Egipto el péndulo se usaba para determinar el mejor lugar para las siembras.

A comienzos del siglo XIX un italiano, Francesco Campetti, utilizó un péndulo para descubrir agua y minerales como lo hizo un clarividente francés en la década de 1930. También se han usado para ubicar minas y túneles en tiempos de guerra; hoy, se usan para conocernos nosotros mismos y para predecir la fortuna. No hay límites.

La consulta del péndulo se ha usado durante siglos para conocer el sexo del bebé por nacer.

¿Cómo funciona el péndulo?

El péndulo se mueve por el movimiento involuntario de la mano que lo sostiene. Los patrones de la energía cósmica penetran en nuestra mente inconsciente y son ellos quienes hacen que los músculos reaccionen, sin que nos demos cuenta. A esto se le llama "respuesta ideomotora" y el péndulo simplemente amplifica estos minúsculos movimientos.

El péndulo nos permite acceder al conocimiento oculto que llevamos en nuestro interior. No importa lo que preguntemos, la respuesta llega de la energía universal a través de nuestra propia mente inconsciente. Obtenemos los mejores resultados cuando somos totalmente objetivos. Si hacemos alguna pregunta sobre nosotros mismos, el péndulo podría estar influenciado por nuestros deseos. Las emociones relacionadas con la pregunta a menudo pueden invalidar la respuesta verdadera, de manera que debemos ser muy honestos con nosotros mismos.

Elección del péndulo

Existen muchas clases de péndulos que se pueden encontrar en tiendas de la Nueva Era; son especiales los péndulos de cristal que llevan su propia energía natural. Debemos elegir uno con el que nos sintamos cómodos por su apariencia y peso cuando lo sostenemos entre el índice y el pulgar. Los mejores son los redondos, cilíndricos o esféricos, por su simetría. Podemos hacer nuestro propio péndulo suspendiendo un clip o un anillo de un hilo.

Piramidal

Cilíndrico

Cristal

Mermet

Cómo usar el péndulo

Podemos hacer oscilar el péndulo sentados o de pie. Las siguientes instrucciones indican cómo usarlo desde una posición sentados. Para usarlo de pie, debe doblarse el brazo en ángulo de 90 grados a la altura del codo, de manera que el antebrazo quede paralelo al suelo.

Instrucciones para el manejo del péndulo

- Siéntese frente a una mesa y haga descansar el codo sobre ella.
- Sostenga el extremo del hilo o cadena del péndulo entre el pulgar y el índice, aplicando poca presión. El péndulo debe colgar unos 30 cm frente a usted.
- Asegúrese de que su codo sea el único punto de contacto con la mesa.
- No cruce las piernas ni los pies, pues esto bloquea el flujo de energía.
- Haga girar suavemente el péndulo en círculos para acostumbrarse a la sensación.
- Experimente con la longitud de la cuerda y decida cuál es mejor para usted.
- Cuando se sienta cómodo con la oscilación y la caída, detenga el movimiento con la otra mano.
- Ahora haga la primera pregunta: ¿cuál movimiento indica un "Sí" Puede formular la pregunta en voz alta o mentalmente; el péndulo responderá y se moverá en la dirección que significa "Sí" (ver diagrama a la derecha). Si nunca ha usado un péndulo, puede tardar un poco en moverse. Tenga paciencia. Es posible que al comienzo el movimiento sea muy leve.
- Puede ser necesario intentarlo varias veces antes de tener respuesta. Y el péndulo trabajará con mayor fluidez si somos abiertos, creativos y confiamos en las energías inconscientes que fluyen a través de nosotros ¡No mueva la mano, el brazo ni la muñeca!

Clases de movimiento y sus significados

El péndulo se moverá de alguna de las siguientes cuatro maneras:

1 Hacia delante y hacia atrás
2 Hacia los lados
3 En sentido de las manecillas del reloj
4 En sentido contrario a las manecillas del reloj

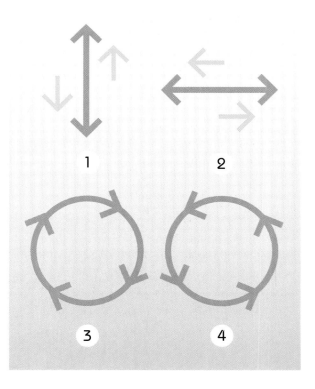

- El movimiento que indica "Sí" no es el mismo para todas las personas, por lo que usted debe averiguar en qué sentido le da una respuesta positiva. Para algunos es en el sentido de las manecillas del reloj, para otros es el movimiento lateral, y así sucesivamente. Todo depende de su vibración personal y de su propia conexión con el inconsciente.

- Enseguida pregunte cuál movimiento indica "No". Luego pregunte cuál es la oscilación para "No sé" y finalmente qué movimiento significa "No quiero contestar".

- Tome nota de lo que significa cada movimiento y luego haga los ejercicios que se indican a continuación para reforzar las oscilaciones y su correspondiente significado.

- Estas respuestas deben permanecer constantes durante toda su vida. Sin embargo, verifíquelas si pasa mucho tiempo sin utilizar el péndulo porque usted habrá cambiado y también su energía.

Preguntas para confirmar los movimientos de Sí/No

Para confirmar la validez del movimiento, primero que todo formule preguntas para las que ya conozca la correspondiente respuesta, tales como: "¿Me llamo Fulanito?", "¿Soy mujer?". Obviamente, si usted es mujer, el péndulo debe responder "Sí"; si es hombre, "No". Usted puede formular estas preguntas en voz alta o mentalmente.

Cuando el péndulo haya confirmado sus movimientos, podemos hacer preguntas cuyas respuestas no conozcamos. Es aquí donde nuestro inconsciente comienza a conectarse con la energía universal y genera la respuesta del péndulo a nuestro propio contacto con la vibración del universo.

Ante todo, diviértase formulando toda clase de preguntas. Haga preguntas que determinen el mejor camino a seguir, por ejemplo: "¿Debo permanecer en mi actual trabajo en vez de buscar otro?" Si la respuesta es negativa, podrá preguntar: "¿Me iría mejor en otra profesión?" Y así sucesivamente. También puede hacer preguntas sobre el futuro, como: "¿Será hoy un buen día para mí?" o "¿Juan/María se enamorará de mí?" (Con esta clase de preguntas, debe tener cuidado para no proyectar sus deseos en el movimiento del péndulo).

Ejercicio para desarrollar habilidades

Haga este experimento para comprobar también cómo
su mente consciente tiene poder sobre el péndulo.

- Suspenda el péndulo y haga que se quede quieto
  con la mano libre.
- Cuando deje de moverse, suéltelo y pida al péndulo
  que se mueva en el sentido de las manecillas del
  reloj. No mueva la mano, el brazo ni la muñeca.
  Concéntrese en el péndulo, mirándolo fijamente y
  pensando: "A la derecha, a la derecha". Verá que
  en pocos instantes el péndulo se mueve en esa
  dirección.
- Detenga el péndulo y piense en una dirección
  diferente. Verá que, otra vez, sigue sus
  pensamientos.
- Ahora libérese del poder de su mente consciente
  concentrándose en el péndulo. Medite sobre una
  pregunta repitiéndola una y otra vez, para evitar
  que pensamientos erráticos bloqueen el portal entre
  su mente consciente y la inconsciente. Con la
  práctica aprenderá a conocer la diferencia entre los
  movimientos del péndulo inducidos voluntariamente
  y lo que significa estar abierto y receptivo al poder
  de la energía universal que está buscando.
- Lo más importante que debe recordar es que hay
  que confiar en el poder del péndulo y creer que
  en realidad está en contacto con los reinos del
  inconsciente. Practique, practique y vuelva a
  practicar. Así se hacen los maestros.

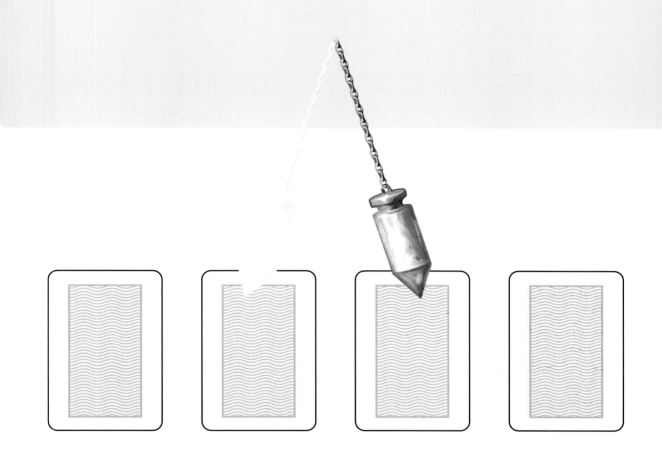

Prueba de las cartas

Ahora intente esta prueba con cartas para comprobar si usted ha logrado liberarse de todo el control consciente.

- Elija al azar cuatro cartas de una baraja. Mézclelas cuidadosamente, luego tome la primera y mírela. Esta será la carta que el péndulo debe hallar; digamos que se trata del As de Corazones.
- Baraje nuevamente las cuatro cartas, boca abajo, hasta cuando realmente no sepa cuál es el As. Enseguida ubíquelas en fila, boca abajo frente a usted.

- Pida al péndulo que ubique la carta. Suspéndalo sobre cada una de las cartas y pregunte: "¿Es este el As de Corazones?" Tenga paciencia si se demora un poco en moverse, y si responde "No sé", inténtelo otra vez. Dele tiempo al péndulo de moverse en una dirección definida.
- El péndulo debe darle una respuesta negativa para tres de las cartas y una respuesta positiva sobre el As de Corazones. Si es equivocada, significa que usted no ha adquirido la confianza necesaria para liberarse de todo el control consciente. Acá también, la práctica hará al maestro.

Adivinación con el péndulo

Una vez dominemos nuestra conexión inconsciente, podremos utilizar el péndulo en toda clase de situaciones: para hallar objetos perdidos, para predecir el futuro, para saber si tendremos una relación fructífera con alguien, y para incrementar nuestro conocimiento.

Para hallar un objeto

Practique este ejercicio buscando algo que otra persona haya escondido a propósito, como una llave, hasta cuando pueda realizarlo sin ponerse nervioso. Cuando perdemos algo, generalmente es que simplemente hemos olvidado dónde lo dejamos, lo que aumenta nuestra ansiedad. Con este experimento no entraremos en pánico pensando si encontraremos el objeto o no.

- Permanezca en calma y relajado, y pida a un amigo o pariente que esconda el objeto dentro de la casa.
- Primero, formule una pregunta obvia, como: "¿Está la llave dentro de la casa?". Así se verifica si el péndulo está trabajando por su conducto. Una respuesta positiva le dará la confianza que necesita.
- Luego, estreche la búsqueda. Pregunte si la llave está en la cocina. Luego pregunte lo mismo sobre las demás habitaciones, hasta cuando el péndulo le dé una respuesta positiva.
- Cuando sepa en qué habitación está la llave, formule preguntas precisas como: "¿La llave está en la canasta de la ropa sucia?" y "¿La llave está debajo del tapete?" Generalmente cuando haya llegado a esta etapa descubrirá la llave o el péndulo le dará una respuesta positiva cuando le pregunte acerca de un mueble, o los cajones, o las cortinas.

Para predecir el futuro

Nuestra percepción del futuro es muy subjetiva. Tenemos deseos, anhelos, necesidades y dudas que proyectamos hacia el futuro. Esto significa que debemos ser muy honestos cuando usemos el péndulo para averiguar cosas sobre nosotros mismos. Este ejercicio podrá darnos el valor que necesitamos para hacer algo que realmente deseamos o decirnos si ese apartamento que queremos comprar o la persona con quien nos vamos a casar nos hará feliz.

Si estamos a punto de asistir a una entrevista de trabajo, suspendamos el péndulo sobre el anuncio del periódico y preguntemos: "¿Seré feliz en este empleo?" Las preguntas siempre deben ser concretas. También podemos preguntar si alguien será un buen amigo o amante. Cuando conozca a una persona, pregunte: "¿Puedo confiar en él?" "¿Es persona leal?" y "¿Me conviene esta relación?".

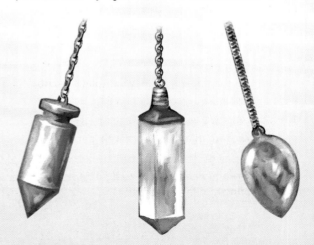

Para probar una relación

El siguiente test nos ayudará a saber si una relación
será armoniosa.

- Primero, tome dos monedas similares. Póngalas
  sobre una mesa, un poco separadas y suspenda el
  péndulo en medio de ellas. Después de unos
  momentos, el péndulo comenzará a moverse de un
  lado al otro, de una moneda a la otra. Esto significa
  que hay armonía, sin importar si su respuesta
  positiva particular es de un lado al otro, de atrás
  hacia delante o en movimiento circular.
- Ahora sustituya una de las monedas por otro objeto
  diferente, como una argolla, un lapicero o una
  baraja. Suspenda nuevamente el péndulo y
  observará que se queda quieto o se mueve hacia
  delante y atrás, evitando los dos objetos. Esto
  significa que no están en armonía. Puede ver que
  el péndulo reacciona de una manera cuando los
  objetos son iguales y de otra manera cuando son
  diferentes. Ahora puede aplicar este procedimiento
  a la gente.
- Supongamos que va a salir por primera vez con
  alguien y desea saber si se llevarán bien. Escriba
  sus nombres en dos papelitos, colóquelos sobre
  la mesa separados unos 13 cm y suspenda
  el péndulo entre ellos. Se moverá de un
  nombre al otro indicando armonía, o se quedará
  quieto o se moverá evitando el papel, lo que indica
  que esa primera cita será difícil.

Consultar el péndulo para autoconocerse y mejorar

También podemos utilizar el péndulo para formular preguntas sobre nosotros mismos. Pero debemos tener cuidado, porque podemos recibir la respuesta que deseamos y no la verdad. Debemos ser muy honestos (no hacer trampa moviendo las manos) y limpiar primero todas las energías negativas, mediante rituales de limpieza o técnicas de meditación. El siguiente ejercicio nos ayuda a conocer nuestra verdadera naturaleza. Luego podremos tomar las acciones correctivas necesarias.

- Busque un lugar tranquilo, limpie su mente de pensamientos negativos y repita las "Afirmaciones para el ejercicio" adjuntas, en voz alta, una por una, mientras permite a su péndulo mágico que realice el trabajo.
- Cierre los ojos. Repita mentalmente o en voz alta cada afirmación varias veces y observe lo que hace el péndulo. Si da una respuesta positiva, se identifica con esa afirmación particular y está en armonía con ella. Si le da una respuesta negativa, debe mejorar esta área de su vida. Por ejemplo, puede pensar que la afirmación "Tengo confianza en mí mismo" es correcta, pero el péndulo puede dar una respuesta negativa.
  Profundice un poco más haciendo otras preguntas simples como: "¿Me siento confiado cuando entro a un recinto lleno de gente?" o "¿Me gusta ser el centro de atención?".
  Identificando la situación con honestidad podrá llegar a tener más confianza o aceptar que tiene un problema y que debe trabajar para solucionarlo.
- Si la respuesta del péndulo es incierta, es probable que no se sienta cómodo con la afirmación.

Afirmaciones para el ejercicio

Tengo confianza en mí mismo y soy una persona motivada.

Merezco amor por el solo hecho de vivir.

Soy exitoso.

Juego bien en equipo.

Estoy listo a ayudar a quien lo necesite.

No tengo inhibiciones.

Amo a mi pareja (si la tiene).

Me encanta ser soltero (si es soltero).

Lista de deseos

El péndulo también puede ayudarnos a alcanzar
una meta, un deseo o un sueño (siempre que sea
razonable). Pero antes debemos averiguar cuáles
deseos son auténticos y cuáles no son importantes
en este momento.

Quiero ser famoso

Quiero ser millonario

Quiero viajar

Quiero tener muchos amigos

Quiero tener un hogar maravilloso

Busco el amor

Deseo buena salud

Deseo tener una familia

Quiero tener una piel perfecta

- Escriba todos sus anhelos y deseos en diferentes
  papelitos.
- Ponga los deseos en orden, encabezando con el
  más importante.
- Suspenda el péndulo sobre el primer deseo.
  Piense en él por un momento y lo que significa
  para usted. ¿Cambiará su vida? ¿Otras personas le
  amarán más o le amarán menos?
  Observe el péndulo.
  Si hace un movimiento positivo, este deseo es
  bueno para usted. Si es negativo, es algo que no le
  conviene justo ahora.
- Suspenda el péndulo sobre todos los papelitos,
  uno a la vez, y tome nota sobre las respuestas que
  él le da. Probablemente encontrará que obtiene
  respuesta positiva para uno, dos o tres deseos y
  para el resto la respuesta puede ser negativa o "no
  sé". Sáquelas aparte y concéntrese en un objetivo
  principal.
- Durante los días siguientes suspenda el péndulo
  sobre el papel finalmente seleccionado y afirme
  en voz alta que hará todo lo necesario para cumplir
  esa meta.
  Su mente consciente está sintonizada con las
  energías inconscientes que trabajan en el cosmos.
  Ahora puede trabajar para hacer de su deseo una
  realidad.

I CHING

7 • I CHING

Los orígenes del I Ching se remontan miles de años atrás en el tiempo cuando los adivinadores chinos consultaban los patrones de la naturaleza, como las marcas en el caparazón de las tortugas, para predecir el futuro. Este sistema de adivinación llegó a ser un oráculo llamado "El libro de los cambios" o I Ching.

Historia del I Ching

El primer texto escrito sobre el I Ching se atribuye al legendario primer emperador de China, Fu Hsi, quien comprendió que los patrones básicos de la naturaleza están presentes en todo lo que hacemos. Con este conocimiento, desarrolló los ocho glifos de tres líneas o "trigramas" que forman la base del I Ching. Estos ocho trigramas representan las ocho energías primordiales de la naturaleza.

Mucho más tarde, en el siglo VI a.C., el iluminado y filósofo Confucio rediseñó todo el sistema del I Ching, que pasó a formar parte integral de la cultura china. No se conoció en Occidente sino a finales del siglo XIX, cuando el misionero alemán Richard Wilhelm tradujo el texto. Poco después Carl Jung, el gran psicólogo, encontró en el I Ching la confirmación de sus propias teorías sobre la sincronía de los eventos en la vida. Desde entonces ha sido ampliamente utilizado en Occidente para predecir el futuro.

Ventajas de usar el I Ching

Usando el I Ching usted podrá:

- Encontrar soluciones para los problemas.
- Recibir respuestas objetivas a preguntas directas.
- Recibir guía cuando se encuentre en una encrucijada.
- Aprender más sobre su desarrollo personal.
- Descubrir cómo actuar en el futuro.
- Recibir ayuda para la toma de decisiones.
- Recibir orientación sobre el resultado de una situación particular.

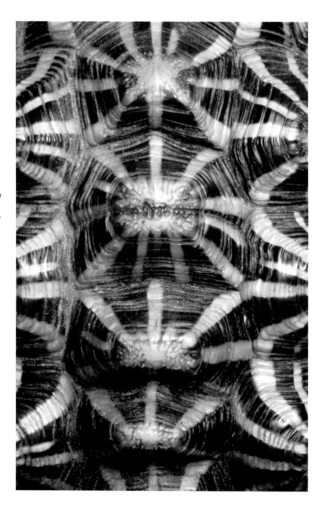

Los intrincados patrones del caparazón de la tortuga alguna vez se usaron para predecir el futuro

Yin y yang

Los símbolos del yin y el yang son la base de los ocho trigramas usados en el I Ching y simbolizan todo lo que sucede, cambia y se desarrolla en nuestra vida. Los orígenes de "yin" y "yang" están envueltos en el misterio, pero simplemente representan dos energías opuestas: yang es verano, el sol, calor, ruido y luz; yin es invierno, la luna, frío, silencio y oscuridad.

Yang se simboliza como una línea continua, y yin como una línea discontinua.

Estructura del I Ching

Cada uno de los ocho trigramas está formado por tres líneas yin y yang en sus varias combinaciones. Ellos son la piedra angular del I Ching y se cree que representan las ocho fuerzas naturales del universo: Cielo, Tierra, Trueno, Agua, Montaña, Viento/Madera, Fuego y Lago. Uniendo los trigramas en parejas, los chinos crearon 64 hexagramas (grupos de seis líneas) que representan 64 estados diferentes del cambio, u oráculos.

yang

yin

Antiguas monedas chinas usadas para lanzar el I Ching.

Los ocho trigramas

Estas ocho fuerzas fundamentales de la naturaleza también pueden utilizarse independientemente como oráculo. Solo debemos mirar los trigramas para ver cuál nos atrae y leer su interpretación. O se pueden utilizar para comprender mejor los 64 hexagramas de las páginas 142-157.

Chi'en
Lo creativo
El Cielo

Clave Logro, fortaleza, valor, concentración
Color Blanco o dorado
Este trigrama se asocia con el poder, la motivación personal y la determinación. Indica el deseo de éxito personal y acción, y aconseja mirar hacia lo alto o liberar nuestro potencial. Debemos tener confianza, pero no negar a otros el derecho de vivir sus propias vidas.

K'un
Lo receptivo
La Tierra

Clave Aceptación, paciencia, sustento, receptividad
Color Negro o café
La Tierra representa todo lo receptivo. Significa cómo recibimos el alimento, el amor, cómo nos nutrimos, qué nos da seguridad y sentido de pertenencia. Indica la necesidad de esperar antes de actuar; aceptar el fluir de los eventos. Nos invita a tener un polo a tierra pero estar abiertos al cambio para que así todo salga según lo planeado.

Chen
Lo incitante
El Trueno

Clave Renovación, espontaneidad, iniciativa, sorpresa
Color Amarillo
Es el trigrama de la renovación, similar a las repentinas tormentas eléctricas que traen la lluvia para crear nueva vida. Indica nuevos comienzos, usar nuestra iniciativa o demostrar que estamos listos para levantarnos y avanzar sin duda alguna. También puede sugerir potencia y despertar a nuevas ideas y destellos repentinos de profundo conocimiento.

K'an
Lo abismal
El Agua

Clave Sentimiento, emoción, deseo, anhelo, instinto
Color Azul
Algunas veces debemos abandonar la razón y la racionalidad y confiar en nuestros sentimientos e instintos, no luchar contra ellos. Este trigrama indica que si vamos con la corriente puede parecer arriesgado, pero no tenemos alternativa. Contrarrestemos la energía que trabaja con nosotros y que podría volverse en contra nuestra.

Ken

Mantenerse quieto
La Montaña

Clave Soledad, quietud, silencio, retiro
Color Púrpura
Este trigrama sugiere que debemos retirarnos de una situación actual, para tener el tiempo de reflexionar sobre un asunto y no sentir que debemos forzar los resultados. También puede indicar que necesitamos quietud en nuestra vida, que quizás las cosas se estén moviendo demasiado de prisa o que estamos necesitando despertar espiritualmente.

Sun

Lo gentil
El Viento, la Madera

Clave Adaptabilidad, justicia, flexibilidad, imparcialidad
Color Verde
A veces debemos ser leales con nosotros mismos y no juzgarnos ni sentirnos culpables. Este trigrama indica que la flexibilidad y auto-conocimiento son necesarios ahora para resolver cualquier situación difícil. Si podemos adaptarnos y comprometernos, pronto estaremos en posición de ventaja y no de desventaja.

Li

Lo adherido
El Fuego

Clave Inspiración, comunicación, claridad, limpieza
Color Naranja
Nos sentimos bien con nosotros mismos cuando nos invade el fuego del amor, del deseo o del éxito. Este trigrama indica acción y comunicación de nuestros sueños y metas; emprender aquello que nos inspira. De esta manera sanaremos nuestras heridas del pasado y tendremos claridad de mente y alma.

Tui

Lo alegre
El Lago

Clave Secreto, paz interior, sanación sexual, magia
Color Rojo
Todos los secretos del universo están en nuestro interior, pero no lo sabemos. Este trigrama sugiere conectarnos con nuestra propia magia, nuestra sexualidad, nuestro discernimiento psíquico y nuestra voz interior; saber que en lo profundo de nuestro corazón nos espera ese placer puro y esa alegría. Es el momento de sonreír al mundo.

Cómo consultar el I Ching

Para consultar el I Ching mediante el uso de las monedas necesitamos tres monedas del mismo tamaño, papel y lápiz.

Consulta con las monedas

- Antes de consultar el oráculo, asegúrese de tener en mente una pregunta o problema específico sobre el que desea preguntar.
- Cuando esté listo, tome las tres monedas y agítelas suavemente entre sus manos mientras piensa en la pregunta. Luego, déjelas caer suavemente sobre una mesa o en el suelo y sume su valor, como se indica en el ejemplo. Cada lado de la moneda representa un valor: cara = 3, sello = 2.
- Lance las monedas 6 veces. Cada lanzada representa una línea del hexagrama. Registre los puntos obtenidos en cada lanzada.

CÓMO INTERPRETAR LAS LANZADAS

- La primera lanzada representa la primera línea del hexagrama, de abajo hacia arriba.
- La segunda lanzada representa la segunda línea hacia arriba, y así sucesivamente.
- En cada lanzada puede obtenerse un total de 6, 7, 8 ó 9, dando una línea yin (discontinua) o una línea yang (continua); 6 y 8 son líneas yin; 7 y 9 son líneas yang.

EJEMPLO

Supongamos que lanzó:

- **Primera lanzada:** 2 sellos y 1 cara = 7
- **Segunda lanzada:** 2 caras y 1 sello = 8
- **Tercera lanzada:** 3 caras = 9
- **Cuarta lanzada:** 2 sellos y 1 cara = 7
- **Quinta lanzada**: 3 sellos = 6
- **Sexta lanzada:** 3 sellos = 6

Debe anotar: 789766, y su hexagrama será el siguiente, comenzando de abajo hacia arriba:

6 y 8 son líneas yin *7 y 9 son líneas yang*

- Ahora observe la tabla de la página siguiente. La columna de la izquierda representa sus tres primeras lanzadas en orden ascendente; la fila superior muestra las últimas tres lanzadas en orden ascendente. En el ejemplo anterior, las tres primeras lanzadas corresponden al hexagrama Li, y las tres últimas al hexagrama Chen. El lugar donde se cruzan es el número del hexagrama correspondiente. Busque la interpretación en las páginas siguientes.

Tabla de hexagramas

	TRIGRAMAS SUPERIORES							
	Chi'en	Chen	K'an	Ken	Tui	Li	Sun	K'un
Chi'en	1	34	5	26	43	14	9	11
Chen	25	51	3	27	17	21	42	24
K'an	6	40	29	4	47	64	58	7
Ken	33	62	39	52	31	56	53	15
Tui	10	54	60	41	58	38	61	19
Li	13	55	63	22	49	30	37	36
Sun	44	32	48	18	28	50	57	46
K'un	12	16	8	23	45	35	20	2

TRIGRAMAS INFERIORES

Interpretación de los hexagramas

Luego de lanzar las monedas seis veces y encontrar el correspondiente hexagrama en la tabla de la página 141, debemos buscar su significado en las páginas siguientes. Cada oráculo nos dará la clave sobre la que debemos trabajar con una interpretación más detallada y un consejo para el futuro.

1 Chi'en
Lo creativo

Clave Inspiración
Asuma el control de su vida y tome una decisión dinámica, para activar sus deseos y sueños y hacerlos realidad. Un encuentro con alguien mayor le dará ventaja en un trabajo o en una confrontación sentimental. Conocerá un nuevo grupo profesional donde podrá ubicarse o encontrar su verdadera vocación.

2 K'un
Lo receptivo

Clave Refrenar
Escuche el consejo de quienes tienen experiencia. Concéntrese en desarrollar su voz interior en vez de tratar de ser quien no es. Sea receptivo y abierto a las nuevas ideas que le sugieren sus amigos o familiares. Si busca amor, su lado tierno le traerá el romance que anhela.

3 Chun
Dificultades

Clave Perseverancia
Todo es un caos, la gente no lo comprende. Conserve la calma y acepte únicamente los buenos consejos. Afuera hay rivales; confíe en su instinto para saber en quién confiar. Progresará si no trata de forzar la situación. Mantenga su rumbo y pronto la energía será menos caótica.

4 Meng
Inmadurez

Clave Inexperiencia
Tiene mucho entusiasmo, pero no se sobrecargue con sueños imposibles. Su encanto es como el de un niño, pero recuerde que la suerte del principiante en algún momento se agota. Debe escuchar a personas con experiencia si quiere alcanzar sus metas. Si tiene problemas en una relación, está a punto de perder los estribos sin realmente saber qué es lo que desea.

5 Hsu
Espera

Clave Paciencia
Se resolverá un problema, aunque tal vez no de la manera como usted lo espera. Conserve la calma y la confianza, y acepte que las cosas son como deben ser. Necesitará auto-disciplina para resolver el dilema de una relación. Las influencias externas requieren un manejo cuidadoso.

6 Sung
Conflicto

Clave Comunicación
Para evitar enfrentamientos debe hablar y dejar que esa persona sepa cómo usted se siente realmente. La confrontación solo genera más cuestionamientos, así que no caiga en la trampa. Tendrá dificultades con otras personas, quiéralo o no. Mantenga la calma y todos se beneficiarán de su perspectiva equilibrada. Desactive un choque emocional de deseos antes de que lo lleve a la confusión.

7 Shih
El ejército

Clave Apoyo
Parece que todo el mundo se rebelará y su instinto le dice que haga lo mismo. Pero solo alcanzará el éxito o la felicidad si demuestra sus dotes de líder en las relaciones con su familia, con sus compañeros de trabajo o con su pareja. Sea una inspiración y no un estorbo. Es su oportunidad de demostrar que puede asumir la responsabilidad derivada de sus acciones.

8 Pi
Unión

Clave Armonía
Sea usted mismo. Exprese sus sentimientos y trate de no buscar aprobación por todo lo que hace. Tenga cuidado con algunas personas que podrían alejarlo de su rumbo personal. En una situación con su pareja, no trate de aferrarse porque la otra persona necesita más espacio. Tenga su propia libertad. Sea realmente sincero sobre sus sentimientos y el futuro será consecuente con usted.

9 Hsaio ch'u

Poder domesticador del pequeño

Clave Humildad
Siembre ahora las semillas del éxito futuro. Lo que haga hoy le traerá satisfacciones mañana. No permita que las dudas o temores frente a lo desconocido lo separen del sendero. Prepárese para adaptarse a las ideas de otros, en vez de pensar que tiene todas las respuestas. Sea humilde antes que orgulloso, y el amor llegará.

10 Lu

Conducta

Clave Simplicidad
En una pregunta sobre relaciones, este hexagrama indica que usted debe tener un buen estado de ánimo y ser honesto sobre sus deseos. Si mantiene una mente abierta podrá aventurarse con seguridad por caminos peligrosos. Alguien pronto lo aceptará por lo que es, sin tratar de cambiarlo.

11 Tai

Paz

Clave Prosperidad
Es excelente momento para nuevos comienzos. Todo lo que inicie ahora le traerá beneficios en los próximos meses. Pero no se sienta satisfecho simplemente porque las cosas le salen bien. Es posible que alcance una sensación de confort pero recuerde que la felicidad depende de su actitud. No haga alarde de sus triunfos ni manipule a los otros, pues esto lo podría llevar a la caída final.

12 P'i

Estancamiento

Clave Bloqueo
En vez de crecimiento positivo, usted experimenta un bloqueo por circunstancias fuera de su control. Pero encontrarse en ese limbo también le da tiempo para reflexionar sobre sus acciones y deseos futuros. Retírese de confrontaciones sin sentido y espere tiempos mejores. Este hexagrama también puede significar que alguien tratará de evitar que se traslade o cambie su estilo de vida.

13 T'ung jen
Compañerismo

Clave Cooperación
No debe haber secretos entre usted y los demás. La honestidad es esencial si desea tener éxito en sus planes. Coopere con sus compañeros de trabajo para asegurar el éxito del negocio. Discuta las situaciones con su pareja y respeten mutuamente sus espacios y su libertad. Este hexagrama también indica que el compromiso dará frutos.

14 Ta yu
Plenitud

Clave Abundancia
Está a punto de alcanzar una etapa de gran abundancia; en el amor, en sus posesiones materiales o en el éxito personal. Habrá personas envidiosas de manera que trate de no ser arrogante por lo que tiene. Si abusa de su fuerza, la perderá. Sea un faro que guía a otros en vez de alumbrarles directo a la cara. No sea posesivo con su pareja o podría perderla.

15 Ch'ien
Modestia

Clave Progreso tranquilo
Si mantiene la serenidad en todas sus actuaciones progresará hacia cualquier meta sentimental o profesional. Pero eso no sucederá de la noche a la mañana. Prepárese pues otros serán agresivos o pretenciosos, y permanezca calmadamente firme. No es el momento de endiosarse. Manténgase ecuánime y calmado y recibirá el respeto que merece.

16 Yu
Entusiasmo

Clave Energía
Pronto tendrá la oportunidad de demostrar que es incontenible. Podrá comunicar todas sus nuevas ideas y su entusiasmo e iniciativa serán tenidos en cuenta por otros. Sólo asegúrese de que su motivación parte de la plena conciencia de lo que está bien y de lo que está mal.

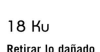

17 Su
Adaptación

Clave Aceptación
Ha llegado el momento de aceptar sus limitaciones y las de los demás. Si su pregunta se refiere a una relación, pronto podrá aceptar el cambio en vez de temerle. Es hora de decir adiós a aquellas personas o ideas que se oponen a sus propios valores respete los suyos no viva según lo que los demás esperan de usted.

18 Ku
Retirar lo dañado

Clave Renovación
Deje en claro lo que hará y lo que no hará. Es el momento de corregir el equilibrio, mostrar la fortaleza de su carácter y tomar decisiones que tengan como raíz sus creencias personales. Remodele su psicología como remodelaría una casa. Sus esfuerzos de auto-corrección serán notados por alguien que puede abrir las puertas a una nueva carrera o relación sentimental.

19 Lin
Acercamiento

Clave El éxito y el progreso vienen hacia usted, pero la forma como enfrente, la vida es igualmente importante para el futuro. Debe mirar al mundo con una perspectiva más amplia. Acepte nuevos retos, ayude a otros, disfrute las oportunidades inesperadas y nunca renuncie a ser simplemente usted mismo.

20 Kuan
Contemplación

Clave Reflexión
Su conocimiento es mayor de lo que usted creía; no se niegue el derecho de hablar y expresar a otros sus creencias y opiniones. Sólo no trate de obligarlos a aceptar sus ideas, o podrían volverse en su contra. Durante las próximas semanas puede ser conveniente reflexionar cuidadosamente antes de tomar decisiones en vez de dejarse llevar por la confusión.

21 Shih ho
Salir adelante

Clave Obstáculo
Parece que el mismo viejo problema sigue atravesado en su camino. Ahora es su oportunidad de superarlo siendo honesto con usted mismo acerca de lo que realmente quiere. En un futuro muy cercano tendrá que tratar con otros que son difíciles y obstinados, pero con objetividad podrá llevarlos a aceptar su manera de pensar.

22 Pi
Gracia

Clave Belleza
Sea sincero y permita que aflore su verdadera belleza. Recuerde que la apariencia de felicidad a menudo es falsa y el éxito no siempre se refiere a la riqueza material. Crea en su voz interior y en los próximos meses otros lo verán con un nuevo brillo. Tendrá la gracia y el encanto necesarios para atraer a quienes desee.

23 Po
Separación

Clave Inactividad
Todo en su vida parece estar colapsando: las relaciones son tensas, hay tormentas en el trabajo. Pero durante las próximas semanas la fortaleza de sus propósitos y su paciencia le traerán la armonía que busca. Resista la tentación de provocar a otros o de interferir. Esta situación no durará mucho, siempre que acepte que las cosas son como deben ser.

24 Fu
Giro

Clave Punto de retorno
Se encuentra en el umbral de un maravilloso período de buena suerte. No tema al cambio; hágalo su amigo, abandone los hábitos negativos, deshágase de ideas anticuadas y reciba lo nuevo y diferente. Las cosas se desarrollarán como usted lo desea, siempre que sea consciente de sus actos y tome las decisiones correctas.

25 Wu wang
Inocencia

Clave Intuición
Viva el presente en vez de apegarse a los errores del pasado o lamentarse por lo que pudo haber hecho. El futuro se presentará justo como lo desea si confía en su intuición y no se preocupa por lo que vendrá. Cualquier problema se solucionará pronto cuando encuentre a alguien que le dé buenos consejos.

26 Ta ch'u
Poder domesticador de grande

Clave Calma
Conserve la calma. No permita que sus sentimientos controlen su racionalidad. Si en este momento se encuentra en una situación difícil o debe tomar una decisión, permanezca tranquilo que todo se resolverá pronto. Un amigo o admirador muy sensato le traerá las noticias que ha estado esperando.

27 I
La boca abierta

Clave Disciplina
Alimente su lado amable. No se torne arrogante o demasiado orgulloso para escuchar a los demás. Sus amigos y quienes le aman están ahí para apoyarlo, pero no les exija demasiado a cambio. En el futuro tendrá que hacer más sacrificios personales. La disciplina y la motivación le traerán el éxito.

28 Ta kuo
Preponderancia de lo grandioso

Clave Presión
Este hexagrama indica que está pasando por una etapa de grandes luchas o presiones. Es comprensible que se sienta tentado a huir de la situación, pero no puede huir de sí mismo de manera que deténgase y analice. Si quiere progresar, debe resolver el problema. Es posible que deba hacer un pequeño sacrificio.

29 K'an
El abismo

Clave Emociones profundas

Sabe qué es lo mejor para usted; no ignore a su corazón. Vaya al ritmo de su propia naturaleza. Negar sus sentimientos sólo le causará más dolor. Abrace el cambio en vez de luchar contra él. En el futuro necesitará honestidad emocional para tomar las decisiones correctas. Sea abierto, receptivo y, sobre todo, ponga alerta a su propia conciencia.

30 Li
Adherencia

Clave Pasión

Se encuentra demasiado adherido a algo o a alguien, como si fuera lo único en la vida. Y esa pasión le impide desarrollar su verdadero potencial. Tome conciencia de su propia autonomía. Con su pasión interior por la vida y el amor, defienda sus principios y no tema ser usted mismo. Alguien lo amará por ese fuego interior que está a punto de encenderse.

31 Hsien
Influencia

Clave Unión

Este hexagrama indica que una influencia exterior llegará a su vida y que tendrá que involucrarse más profundamente con esa persona, idea o circunstancias. También significa noviazgo, felicidad mutua, relación amorosa o matrimonio.

32 Heng
Duración

Clave Resistencia

Esperar que suceda mucho demasiado pronto, solo lo llevará a la desilusión. Pero usted tiene la fortaleza y determinación para esperar a que las cosas cambien, aun si siente que es ahora o nunca. No se compare con otros ni trate de ser quien no es. La buena fortuna llegará a través de la integridad y confianza en sí mismo.

33 Tun
Retiro

Clave Retirarse
No importa cuán duro le parezca retirarse de una situación negativa, este hexagrama le indica que debe hacerlo y no ver ese retiro como una derrota. Es el momento de hacerse a un lado; eche una mirada larga y profunda a esas situaciones y prepárese para tiempos mejores, en los que podrá seguir adelante con sus planes.

34 Ta chuang
El poder de lo grandioso

Clave Aumento de fuerza
Usted sabe que en relación con un problema profesional o de relaciones podría forzar las cosas hasta el extremo, pero asegúrese de no tratar de controlar y manipular a alguien, ni de jugar juegos de poder. El poder verdadero viene de la honestidad emocional. Alguien podría estar a punto de aprovecharse de usted; tenga cuidado con los encantadores de serpientes y los aduladores.

35 Chin
Progreso

Clave Amanecer
Este hexagrama indica un gran progreso. Alcanzará todo lo que quiera lograr, siempre que recuerde qué juicio podría empañarse si es demasiado egoísta. En una relación, alguien verá brillar su belleza interior, pero no renuncie a su libertad en aras de la aprobación.

36 Ming I
Oscurecimiento de la luz

Clave Atardecer
Reconozca que va por el camino equivocado, que es el momento de revaluar sus planes y de salir de esa situación mientras puede hacerlo. Sería tonto perseverar en algo que sólo le traerá confusión. Puede pasar algún tiempo antes de que las cosas comiencen a funcionar, pero cuando llega el atardecer es seguro que siempre habrá otro amanecer.

37 Chia jen
La familia

Clave Lealtad
Se revela una relación
armoniosa, siempre y
cuando usted aclare sus
límites emocionales.
Irónicamente, si ambos
conocen sus limitaciones
podrán actuar más
libremente. Llegará la
felicidad si acepta que
la lealtad es de doble
vía; trate de vivir con dos
códigos de ética.

38 K'uei
Oposición

Clave Mal entendidos
La vida se ve
amenazante. Nadie
parece comprenderlo.
Nada parece justo, pero
esto se debe a que está
proyectando sus temores,
preocupaciones, odios y
dolores hacia el mundo
exterior. De ahora en
adelante manifieste
bondad, permita que
alguien se acerque a su
corazón y confíe en el
universo; la vida se
pondrá de su lado y no
contra usted.

39 Chien
Obstrucción

Clave Punto muerto
Un amigo o su pareja no
hacen el esfuerzo para
mejorar su relación, y
usted está tan enredado
en sus problemas
personales que no tiene
tiempo para motivarlos.
Su falta de lenguaje
corporal indica que
ustedes dos están
atascados en su lodo
personal, incapaces de
liberarse de ese punto
muerto. No se culpe ni
culpe a otros por la
situación; en pocos días
estará resuelta.

40 Hsieh
Entrega

Clave Liberación
Ha llegado el momento
de perdonar y olvidar; no
incube dolores pasados
ni sentimientos de
rechazo. Ahora es tiempo
de seguir adelante, tirar
su carga emocional y
vivir en el presente.
Libérese de viejas
ilusiones y pronto podrá
superar todos los
obstáculos. No se ate a
personas que no
entienden que usted
tiene una búsqueda que
realizar.

41 Sun
Disminución

Clave Restricción
Está entrando en un período de limitación. No subestime sus talentos ni sus metas, pero sea muy, muy tranquilo en los asuntos con los demás. Mientras más despreocupado y sincero sea, tendrá más posibilidades de triunfar. Apresurar las cosas solo debilitará sus argumentos o frenará su progreso.

42 I
Aumento

Clave Ganancia
Sea creativo con sus ideas y ganará los aplausos que busca. Pronto alguien querrá darle una oportunidad de mejorar su situación o sus ingresos. Sea amable y generoso y recibirá lo bueno de la vida. Pero no crea que todo le lloverá del cielo; también debe trabajar para cumplir sus metas.

43 Kuai
Resolución

Clave Éxito
Ha llegado al punto decisivo donde sabe que vendrán tiempos mejores. La confianza en sí mismo y la concentración son esenciales si desea seguir progresando. No se deje tentar para hacer algo que siente que no le conviene; es el momento de defender sus derechos y opiniones.

44 Kou
Encontrarse

Clave Tentación
Simplemente no puede resistirse a alguien o a algo que no es bueno para usted. Y sin importar cuánto lo intente, no puede librarse del deseo. No tiene otra alternativa que seguir su instinto, pero no se involucre demasiado o perderá el contacto con su buen juicio. Confíe en sus corazonadas pues generalmente son correctas.

45 Ts'ui
Reunirse

Clave Liderazgo
Reúnase con personas
que piensen como usted
y en quienes pueda
confiar, y pronto será
recompensado por su
espíritu e iniciativa. Siga
concentrado en sus
metas, pero en este
momento no trate de
alcanzarlas solo.
Asegúrese de trabajar por
el bien de todos los
involucrados y no
exclusivamente para su
beneficio.

46 Sheng
Empujar hacia arriba

Clave Crecimiento
Este hexagrama indica
que ahora puede lograr
todo lo que se proponga,
siempre que no se deje
desviar por quienes
desean manipularlo. La
manera de lograr un
objetivo a menudo es
más importante que el
objetivo mismo. Acepte
las nuevas oportunidades
que le darán la ocasión
de progresar
rápidamente.

47 K'un
Opresión

Clave Preocupación
Siente que no tiene
energía, que el mundo
es un lugar inclemente
y que nadie lo escucha.
Estos son momentos de
prueba y parece no haber
salida a una situación
difícil. Opóngase a los
sentimientos de tristeza
y busque la fuerza en su
interior. En pocas
semanas se preguntará
por qué se sentía
abatido, cuando un
encuentro inesperado lo
lleve realmente alto.

48 Chiang
El pozo

Clave Sabiduría
Este hexagrama significa
que es el momento de
liberar sus talentos.
Posee más sabiduría
de la que reconoce, de
manera que en vez
de evitar su verdad
interior, descúbrala,
aliméntela, y adquiera
más sabiduría. Si
pregunta por una
relación, un antiguo
amante o compañero
mejorará su vida.

49 Ko
Revolución

Clave Cambio
Piense cuáles son sus
motivaciones actuales y
si en realidad desea
cambiar algo en su vida.
De ser así, es el
momento de actuar. La
preparación lo es todo.
El cambio radical es
inevitable, pero hágase
responsable de este en
lugar de esperarlo.
Asegúrese de saber qué
cosas en su vida
necesitan ser
revolucionadas y por qué.

50 Ting
El caldero

Clave Alimento
Si es honesto y abierto
tendrá asegurado el
éxito. Habrá una persona
envidiosa de sus logros;
cuídese de aquellos
resentidos por su
felicidad. Evite sentirse
culpable por tener mejor
nivel o más confianza en
sí mismo que otras
personas. Alimente sus
sueños y los hará
realidad.

51 Chen
El despertar

Clave Golpe
Este hexagrama
representa eventos
imprevistos e
impredecibles. ¿Se
encuentra golpeado, o
golpea a los demás? ¿Los
eventos inesperados o
importantes le crispan los
nervios, o lo emocionan?
Si se encuentra
"golpeado" acepte que el
golpe pronto le traerá
nueva lucidez y
representa un momento
crucial para alterar algo
que "no está bien" en su
vida. Si los golpes no lo
afectan o se golpea a sí
mismo, debe recomenzar
y salir de la rutina.

52 Ken
Quedarse quieto

Clave Inmovilidad
Cálmese, sea objetivo
frente a una situación
actual o una pregunta.
Si mantiene la calma,
las cosas saldrán como
usted desea. No permita
que otros le distraigan y
en pocos días verá con
claridad la solución al
problema.

53 Chien
Desarrollo

Clave Paso a paso
Aunque sabe para dónde
va, no se apresure a
hacer cosas que puede
lamentar más tarde. No
tenga expectativas tan
altas que nadie —ni
siquiera usted mismo—
puede satisfacer. En una
relación, tomará tiempo
comprometerse o revelar
un cambio de
sentimientos.

54 Kuei mei
La novia

Clave Deseo
Alguien puede
defraudarlo o no
corresponder su interés.
Es hora de respetar su
individualidad y no
asumir que otros tienen
la clave de su felicidad.
Si busca romance, este
hexagrama indica que
tiene un admirador.
Busque donde menos
lo espera.

55 Feng
Abundancia

Clave Lo suficiente
Confíe en su instinto:
justo ahora su influencia
es poderosa y puede
lograr grandes cosas.
Pero no sea arrogante
porque solo conseguirá
alejar a aquellos con
quienes desea estar. Viva
en el presente, perdone
el pasado y siga adelante
mientras puede.

56 Lu
El errante

Clave Viaje
Aunque está contento
con la manera como
son las cosas, no se
encuentra realmente
satisfecho. Sabe que
debe abandonar una
relación o un estilo de
vida. Es el momento
de viajar, literalmente
visitando países o
simplemente progresando
en su propio viaje por la
vida. Hágalo a su
manera, pero (como
en todo terreno
desconocido) respete
lo nuevo y su viaje será
un placer.

57 Sun
El gentil

Clave Consistencia
Ser gentil no significa ser blando. Sea firme en sus intenciones frente a alguien y no permita que lo manipulen. Si es consistentemente honesto en relación con sus creencias y sus metas, las alcanzará. Es posible que las cosas no hayan salido como usted esperaba, pero con persistencia obtendrá grandes recompensas.

58 Tui
Alegría

Clave Satisfacción
Desea más, pero los logros materiales no hacen que la vida sea mejor; simplemente crean un círculo vicioso. Para obtener la felicidad duradera debe mirar hacia usted mismo. ¿Cuáles son sus necesidades y objetivos? ¿Los respeta? Muy pronto un encuentro con alguien le traerá gran alegría y le dará la libertad de ser usted mismo.

59 Huan
Dispersión

Clave Rigidez
Si usted es inflexible y terco no podrá crear la apertura que necesita para triunfar. Sería conveniente que sacrificara una meta de corto plazo por un beneficio a largo plazo. También puede significar que uno de sus seres amados encuentra difícil ver las cosas de manera diferente a como le dicta su propio criterio. Disuelva el hielo emocional con comprensión y humor.

60 Chieh
Limitación

Clave Moderación
Conozca sus propias limitaciones y haga todo con moderación. Comience por decir "no" cuando así lo sienta en vez de decir "sí" solo por mantener la tranquilidad u obtener reconocimiento. Si alguien no acepta un no por respuesta, pregúntele cuál parte de la palabra es la que no entiende.

61 Chung fu
Verdad interior

Clave Aceptación
Este hexagrama indica
que se está haciendo
más independiente de
lo que otras personas
desean. Tiene el derecho
de hacer sus propias
cosas, siempre que esté
motivado por la verdad
interior. Si está tratando
de persuadir a alguien
sobre la forma correcta
de actuar, dé el ejemplo
y pronto seguirá sus
pasos.

62 Hsiao kuo
La preponderancia de lo pequeño

Clave No-acción
Aunque desea encontrar
soluciones o hacer algo
para enmendar una
situación, sólo logrará
empeorarla. Aguarde el
momento oportuno,
espere a que la
atmósfera se aclare y no
asuma riesgos. Pida la
ayuda de una persona
mayor y con más
experiencia, quien le
dará un consejo objetivo.
Progresará durante las
siguientes semanas, no
importa lo difícil que
ahora parezca.

63 Chi chi
Después de la consumación

Clave Orden
Este hexagrama significa
equilibrio, armonía y
orden. La balanza no se
inclina a favor de nadie,
y el conocimiento,
claridad y comprensión
aparecerán en su
camino; pero tenga
cuidado y no piense
alegremente que todo
estará bien por siempre.
Del caos surge el orden,
pero éste puede cambiar
en un instante si no se
prepara para trabajar un
problema con sus
relaciones.

64 Wei chi
Antes de la consumación

Clave Dedicación
Tiene un sentido real
de su vocación y desea
tomar el control de su
vida; pero para hacerlo
debe dedicarse a sus
talentos, habilidades y
autodesarrollo. Los
tiempos cambian y muy
pronto alguien descubrirá
su verdadero potencial.
Asegúrese de estar listo,
preparado y tener
claridad sobre lo que
realmente desea.

CRISTALES
DEL ZODIACO

8 • CRISTALES DEL ZODIACO

Al elegir nuestros propios cristales hacemos de ellos nuestros guías y talismanes personales, de los que recibiremos protección y facultad en la adivinación. Podemos comprar los cristales en el comercio, pero mientras más personal sea nuestra elección, mayor será la energía que a través de ellos recibiremos con la orientación que buscamos.

¿Qué pueden revelar los cristales sobre nuestro futuro?

A lo largo de la historia se han usado los cristales para predecir la fortuna gracias a sus delicadas vibraciones naturales que se creía estaban relacionadas con la vibración de los poderes del cosmos.

Los cristales abren el portal del verdadero conocimiento y de nuestra propia intuición y sabiduría interior. Como herramienta adivinatoria, pueden ser lanzados en la rueda zodiacal para dirigir el poder de las fuerzas planetarias y brindar protección contra energías negativas. También pueden desplegarse en una tirada, como las cartas del Tarot y las runas. Otra opción es sacar un cristal de la bolsa como guía para cada día; es posible alinear nuestra propia energía con las vibraciones de nuestro cristal zodiacal personal y aprovechar las ventajas de sus propiedades milagrosas llevándolo con nosotros durante todo el día.

Conserve sus cristales en una bolsa de seda.

Ventajas de usar los cristales

Usando los cristales podremos:
- Identificar influencias y energías en nuestra vida.
- Conocer los obstáculos que debemos superar.
- Saber qué clase de día nos espera.
- Descubrir instantáneamente la respuesta a nuestras preguntas.
- Encontrar el cristal guía que nos llevará a la felicidad futura.
- Descubrir qué nos depara el futuro.

Descubriremos que de manera misteriosa los eventos y encuentros diarios se ajustan al simbolismo del respectivo cristal, o nos revisten con sus cualidades particulares. Por ejemplo, digamos que al azar elegimos la aguamarina: ¡lo más probable es que ese día tengamos un encuentro romántico!

Historia de los cristales del zodiaco

Ya en el año 4000 a.C. los caldeos de Mesopotamia recurrían a la astrología y a las estrellas para predecir el futuro. También creían que los cristales hallados en la tierra estaban ligados a los planetas, que reflejaban las vibraciones del cosmos. Desde épocas muy remotas se ha considerado que los cristales guardan el poder de la adivinación; para los griegos, todos los cristales claros de cuarzo eran fragmentos del arquetípico Cristal de la Verdad. Cada uno de los 12 signos del zodiaco corresponde a un cristal, y, a su vez, cada cristal está alineado con las energías asociadas con ese signo zodiacal.

Cómo elegir sus cristales

Lo ideal es que consiga todos los cristales que se describen en las páginas 162-163, pero si no puede tenerlos todos, reemplace algunos con otros cristales asociados con los signos zodiacales (los encontrará fácilmente en las tiendas de la Nueva Era).

Compre cristales planos, ovalados. Sostenga cada cristal en la mano hasta que su intuición le diga que es el correcto para usted. Puede sentirlo muy frío o muy caliente, o casi como si vibrara en su mano. Si siente alguna reacción, especialmente un "chispazo" intuitivo, significa que está sincronizado con la energía vibratoria del cristal y por tanto del cosmos.

La vibración del cristal claro de cuarzo es la claridad, que nos ayuda a encontrar la salida a situaciones difíciles.

Cristales planetarios

Cada uno de los planetas del sistema solar rige un signo zodiacal (excepto Venus y Mercurio que rigen dos signos cada uno) y responde a determinadas energías de los cristales asociados. Cuando lance o haga tiradas con estas piedras, consulte las interpretaciones que se dan a continuación.

El Sol rige a Leo
Cristal claro de cuarzo

Al igual que el Sol, el cristal claro de cuarzo representa la energía, directa y poderosa. Es el cristal de la acción, concentración y desarrollo de potenciales. Un cristal claro de cuarzo nos indica que es el momento de actuar desde lo más profundo de nuestro corazón, alcanzar nuestras metas, cumplir nuestros sueños y disfrutar siendo quienes somos. Llevar este cristal nos ayuda a recomenzar.

La Luna rige a Cáncer
Ópalo

La Luna representa las energías de la intuición y el sentimiento; de manera similar, el ópalo se caracteriza por su aura temperamental y transparente. En la lectura, el cristal de la Luna nos recuerda que debemos respetar nuestra intuición y nuestras emociones. Llevar un ópalo nos ayuda a sintonizarnos con los demás.

Mercurio rige a Géminis y a Virgo
Topacio

Mercurio es el planeta de la "comunicación mágica", y el topacio nos indica que debemos comunicar nuestros deseos, abrir nuestra mente a nuevas ideas y expresarlos con claridad. Llevar un cristal de Mercurio nos ayuda a tomar decisiones.

Venus rige a Tauro y a Libra
Turmalina

Venus representa la belleza, el amor y los asuntos del corazón. Un cristal de Venus significa que están favorecidas las nuevas relaciones y que crecerá un romance o amor más profundo. Es el momento de usar el corazón y no la cabeza. Llevar una turmalina favorece la armonía y la tolerancia.

Marte rige a Aries
Ágata roja

Marte es el planeta de la confianza y el deseo. Y el ágata roja representa este espíritu fogoso de poderoso liderazgo. El ágata nos indica que estamos listos para defender nuestros derechos o los derechos de los demás. Aunque podemos sentirnos frustrados por los acontecimientos, es el momento de iniciar lo que es correcto para nosotros. Debemos llevar un ágata roja cuando necesitemos una inyección de valor.

Júpiter rige a Sagitario
Lapislázuli

Esta piedra siempre se ha conocido como el "ojo de la sabiduría" y, al igual que Júpiter, representa la verdad y el propósito en la vida. El lapislázuli nos indica que la profesión, el conocimiento y los ideales son importantes en este momento. Llevar esta piedra nos ayuda a descubrir las verdades más profundas.

Los diez cristales planetarios

Planeta		Cristal	Clave	Activo / Pasivo
El Sol		Cristal claro de cuarzo	Claridad	Activo
La Luna		Ópalo	Sensibilidad	Pasivo
Mercurio		Topacio	Comprensión	Activo
Venus		Turmalina	Compasión	Pasivo
Marte		Ágata roja	Progreso	Activo
Júpiter		Lapislázuli	Sabiduría	Pasivo
Saturno		Ónice	Estructura	Pasivo
Urano		Cornalina naranja	Rebeldía	Activo
Neptuno		Ágata de encaje azul	Visión	Activo
Plutón		Amatista	Pasión	Activo

Saturno rige a Capricornio
Ónice

Saturno representa el orden y la definición. El ónice nos indica que aunque las limitaciones pueden estar retrasándonos, nuestra determinación vencerá las demoras. Ha llegado el momento de definir quiénes somos y cuáles son nuestros valores verdaderos. Llevar un ónice nos ayuda a alcanzar nuestras metas.

Urano rige a Acuario
Cornalina naranja

Esta piedra se ha usado como protección contra la envidia y, al igual que Urano, representa nuestra libertad frente a las expectativas de los demás. Es el momento de progresar y, sin importar qué tan originalmente pensemos, es a través de la rebeldía contra el *statu quo* que alcanzaremos nuestro verdadero yo. Llevar este cristal nos ayuda a liberarnos.

Neptuno rige a Piscis
Ágata de encaje azul

Un cristal de Neptuno nos indica que es el momento de abandonar ideas y hábitos anticuados y nos inspira una nueva visión del futuro. Debemos aceptar que no importa a dónde vayamos, no podremos escapar de nosotros mismos. Llevemos un ágata de encaje azul si nos sentimos confundidos y necesitamos claridad.

Plutón rige a Escorpión
Amatista

Plutón representa nuestro instinto de supervivencia, nuestra pasión por la vida. Llevar una amatista ayuda a absorber lo negativo y nos permite deshacernos de nuestros temores frente al cambio. En una tirada, la amatista nos sugiere aceptar que nuestra vida ha llegado al final de un ciclo y que debemos avanzar.

Cristales zodiacales

Los cristales que se indican a continuación corresponden a los signos del zodiaco y, junto con los diez cristales planetarios, forman el juego total de 22. No nos preocupemos si no los tenemos todos. Comencemos con los diez que más nos gustan, asegurando que tenemos variedad de colores y significados.

Cómo elegir y usar los cristales

Para estar seguro de que no ha elegido sólo cristales activos consulte las cualidades que le indica la clave para cada cristal. Dependiendo de su signo zodiacal, siempre lleve, use o guarde su propio cristal en un lugar seguro. Así ganará confianza, fe en usted mismo, vitalidad y la capacidad de expresar su verdadero potencial y camino elegido.

Consulte las claves y frases de la rueda del zodiaco relacionadas con su signo solar. Si no le son familiares, coloque el cristal debajo de la almohada para resaltar aquellas cualidades que aún debe desarrollar.

Los 12 cristales zodiacales

Signo zodiacal		Cristal	Clave	Activo / Pasivo
♈	Aries	Cornalina roja	Activar	Activo
♉	Tauro	Cuarzo rosado	Amar	Pasivo
♊	Géminis	Citrina	Comunicar	Activo
♋	Cáncer	Feldespato	Abrazar	Pasivo
♌	Leo	Ojo de tigre	Inspirar	Activo
♍	Virgo	Peridot	Discernir	Pasivo
♎	Libra	Jade	Armonizar	Pasivo
♏	Escorpión	Malaquita	Transformar	Activo
♐	Sagitario	Turquesa	Viajar	Activo
♑	Capricornio	Obsidiana	Materializar	Activo
♒	Acuario	Ámbar	Racionalizar	Pasivo
♓	Piscis	Aguamarina	Romance	Pasivo

Rueda del zodiaco

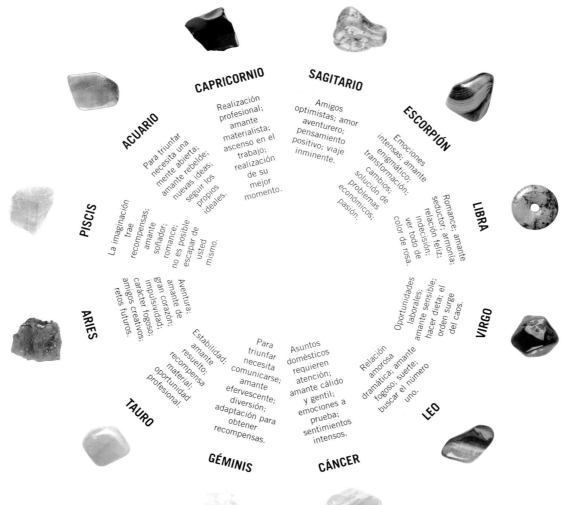

CAPRICORNIO
Realización profesional; amante materialista; ascenso en el trabajo; realización de su mejor momento.

SAGITARIO
Amigos optimistas; amor aventurero; pensamiento positivo; viaje inminente.

ESCORPIÓN
Emociones intensas; amante enigmático; transformación; cambios; solución de problemas económicos; pasión.

ACUARIO
Para triunfar necesita una mente abierta; amante rebelde; nuevas ideas; seguir los propios ideales.

LIBRA
Romance; amante seductor; armonía; relación feliz; indecisión; ver todo de color de rosa.

PISCIS
La imaginación trae recompensas; amante soñador; romance; no es posible escapar de usted mismo.

VIRGO
Oportunidades laborales; amante sensible; hacer dieta; el orden surge del caos.

ARIES
Aventura; amante de gran corazón; impulsividad; carácter fogoso; amigos creativos; retos futuros.

LEO
Relación amorosa dramática; amante fogoso; suerte; buscar el número uno.

TAURO
Estabilidad; amante resuelto; recompensa material; oportunidad profesional.

GÉMINIS
Para triunfar necesita comunicarse; amante efervescente; diversión; adaptación para obtener recompensas.

CÁNCER
Asuntos domésticos requieren atención; amante cálido y gentil; emociones a prueba; sentimientos intensos.

Cómo lanzar los cristales en la rueda zodiacal

Este método de adivinación es divertido. Podemos copiar la rueda del zodiaco de la página 165 sobre un trozo de papel o tela, o marcar la rueda con hilos.

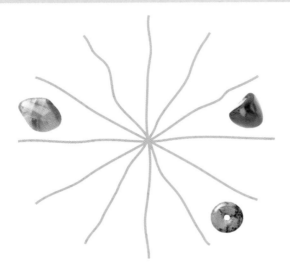

Haga su propia rueda zodiacal con hilos o piedras.

- Ponga los cristales en una bolsa.
- Siéntese o arrodíllese frente a la rueda y concéntrese en la pregunta. Por ejemplo, desea preguntar: "¿Cuándo llegará el amor a mi vida?".
- Sin mirar, saque un cristal de la bolsa, y láncelo sobre la rueda.
- Busque la clave para interpretar el signo donde caiga el cristal.
- Luego saque y tire el segundo cristal y el tercer cristal.

CÓMO INTERPRETAR LA LANZADA

- El primer cristal que lanzó es el Cristal de la Luz. Representa su situación actual. No importa qué cristal haya lanzado, lo que importa es dónde cae dentro de la rueda. Supongamos que cae en el sector de Libra. Regrese a la rueda zodiacal de la página 165 para comprobar las cualidades de Libra. Si su pregunta se refiere al amor, indica que el romance y la armonía se encuentran favorecidos. Cuanto más cerca del centro caiga el cristal, más pronto se desenvolverán los eventos; más cerca del borde externo, los eventos tomarán más tiempo. El principio general es que hacia la mitad entre el centro y el borde equivale a una semana; sobre el borde de la rueda, aproximadamente dos semanas. Si el cristal cae fuera de la rueda, el tiempo no ha llegado para la realización del cambio o el cumplimiento del deseo.
- El segundo cristal es el Cristal de las Sombras. Representa a la gente, o las influencias o bloqueos externos, que pueden afectar sus deseos y sueños, y a los que tiene que enfrentar justo ahora. Supongamos que el cristal cae en Leo. Indica que un amigo fogoso y progresista será la clave de su encuentro romántico, pero también puede señalar a un rival, de manera que tenga cuidado.
- El último cristal que lanzó es el Cristal de la Fortuna. Indica el resultado de la pregunta. Digamos que el cristal cae en Géminis, cerca al borde de la rueda. Esto significa que una buena comunicación y un enfoque despreocupado frente a la vida crearán el sueño romántico que está buscando, pero es posible que tenga que esperar un par de semanas.

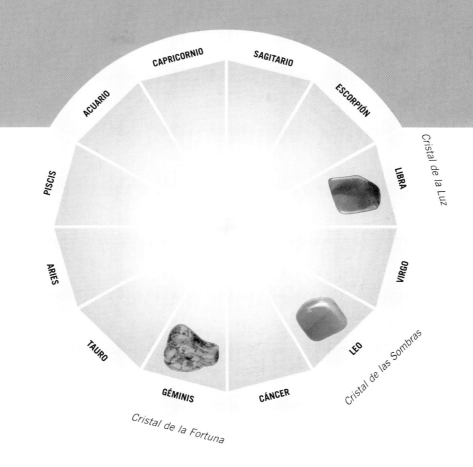

Cristal de la Luz

Cristal de las Sombras

Cristal de la Fortuna

Cristales lanzados en la rueda zodiacal

Cómo elegir el cristal del día

También es posible elegir un solo cristal para averiguar la clase de día que vamos a tener.

- Agite con cuidado los cristales dentro de la bolsa y luego saque uno y póngalo en el centro del paño.
- Estúdielo, sienta lo que significa para usted y busque la interpretación en las páginas 168-171.
- Luego, tome el cristal entre sus manos, cierre los ojos y sintonícese con las vibraciones del cristal. Deje que la energía fluya a través de sus manos y de su cuerpo; invite a las buenas cualidades del

cristal para que lleguen a su mundo y le transfieran su poder.

- Devuelva el cristal a la bolsa, o llévelo en el bolsillo u otro lugar seguro durante el día para tomar la energía de sus cualidades particulares.
Dependiendo del significado del cristal elegido, sabrá qué clase de día le aguarda y cómo tendrá que actuar para expresar la energía de manera positiva. Por ejemplo, si usted eligió el ágata roja, tendrá que expresar sus sentimientos con honestidad e intensidad.

Oráculo de los cristales

Aquí tenemos una sencilla interpretación de los 22 cristales utilizados en este libro. Se recomienda ampliar la interpretación para relacionarla con la pregunta o con el problema; desarrolle la intuición y trabaje con la energía vibratoria de los cristales para lograr análisis más detallados.

Cornalina roja

Clave Activar

Motivado para triunfar. Es el momento de vencer sus temores o dudas sobre lo que puede lograr. Comience por adelantar sus planes o desarrollar sus habilidades de liderazgo. Alguien está forzando la suerte o supone conocer lo que más le conviene. Se presentarán escollos, pero harán relucir sus mejores cualidades.

Cuarzo rosado

Clave Amar

Un encuentro de amor está favorecido o tendrá gran empatía con alguien nuevo. Está a punto de enamorarse, pero asegúrese de que no se trata de una mera ilusión. Para usted, el placer sensual es más importante que la ambición y es oportuno tomar un descanso o divertirse con sus amigos. Ahora podrá decidir sobre todos los aspectos de sus relaciones.

Citrino

Clave Comunicar

Comuníquese con alguien con quien nunca ha hablado y aprenderá algo valioso. Concéntrese en sus metas y alcanzará sus objetivos. El citrino le permite transformar los pensamientos negativos en acción positiva. También puede tomar una buena decisión, con lógica y objetividad. Es buen momento para emprender un viaje que puede traerle felicidad.

Feldespato

Clave Abrazar

Confíe en su intuición y conéctese con su sabiduría interior. Sus estados de ánimo y sentimientos pueden ser confusos; trate de ver más objetivamente la situación. Asegúrese de no ser engañado por quienes quieren tener poder sobre usted. Tome conciencia de los valores familiares pero respete los suyos propios. ¿Son diferentes?

Ojo de tigre

Clave Inspirar

Está listo para iniciar una búsqueda o para inspirar a otros con sus talentos. Desarrolle su potencial y no permita que otros le digan lo que debe o no debe hacer con su vida. Es el momento de atreverse a ser diferente y demostrar que tiene objetivos y visión. Las relaciones amorosas serán sorprendentes y le traerán nuevos retos.

Peridot

Clave Discernir

Tome decisiones basadas en hechos, no en sentimientos. Necesita relaciones significativas, no amigos superfluos. Es el momento de desplegar sus alas o interactuar con personas que respeten su individualidad. Discierna con cuidado, porque tendrá que hacer una elección muy importante en el futuro.

Jade

Clave Armonizar

El amor y la armonía están bien aspectados, y tendrá éxitos en el romance. Sin embargo, no se involucre sentimentalmente y evite ser víctima del chantaje emocional. Está en armonía con el universo, puede pedir lo que realmente desea.

Malaquita

Clave Transformar

Conocida como la "piedra del sueño" por su aparente efecto hipnótico, esta piedra indica que puede transformar su vida siempre que esté atento a las oportunidades. Por fin está saliendo de aguas

emocionales agitadas hacia aguas calmadas. Si la pregunta se relaciona con dinero o asuntos materiales, el éxito llegará pronto.

Turquesa

Clave Viajar

Se ven favorecidos los viajes, tanto físicos como intelectuales. Explore sus motivos: ¿son los suyos, o alguien le obliga a actuar de esta manera? Expanda su repertorio de talentos y cualidades. Cuídese de alguien que le promete el mundo y no puede cumplir. El amor no conoce fronteras.

Obsidiana

Clave Materializar

Persevere en sus ambiciones; no se rinda ante las críticas o sus propias dudas. Se presentarán cuestionamientos o inconvenientes frente a un plan, pero ellos a su vez

desencadenarán eventos maravillosos. Dé la bienvenida a los cambios pues a la postre le traerán resultados positivos. Ahora puede concretar una meta o deseo, y probar su valía.

Ámbar

Clave Racionalizar

Usted es rebelde y visionario, y es el tiempo justo para hacer esos cambios radicales que usted sabe son inevitables. Racionalizar una situación, en vez de apegarse a los aspectos favorables y desfavorables, la resolverá prontamente.

Aguamarina

Clave Romance

En el aire flotan el romance y los sentimientos armoniosos. La marea se vuelve en su favor. No permita que le afecten las emociones negativas de otros, y no se comprometa con el pretexto de alcanzar la paz.

Cristal claro de cuarzo

Clave Claridad

Puede ver con claridad la salida a una situación difícil. Pronto estará lleno de entusiasmo, alegría y sentido de éxito

personal. Si cree en usted, la felicidad está a la vista.

Ópalo

Clave Sensibilidad

Sus sentimientos se elevan. Sea sensible frente a sus objetivos de largo plazo y aliméntelos. No puede cambiar lo incambiable. Acepte que los demás no pueden ser nada diferente de lo que en realidad son.

Topacio

Clave Comprensión

Debe ser más abierto y menos crítico en sus relaciones. La comprensión y tolerancia le traerán los resultados que busca. Alguien trata de hacerlo invisible; no se lo permita.

Turmalina

Clave Compasión

Los amigos verdaderos y la compasión hacia los demás lo harán sentir rico espiritualmente. Si respeta sus propias necesidades encontrará

el amor verdadero. Un amor está listo a comprometerse.

Ágata roja
Clave Progreso
Su enojo se justifica y es el momento de expresar sus sentimientos; no los reprima. Progresará si tiene el coraje de defender sus derechos. Un extraño le trae incentivos gratificantes.

Cornalina naranja
Clave Rebeldía
Los cambios novedosos propiciarán elecciones de vida positivas. Otros lo frustran pues no comparten sus puntos de vista, pero siga adelante con sus planes. Su compañero o pareja no se comprometerá.

Lapislázuli
Clave Sabiduría
Utilice su cabeza y no su corazón. Hable con personas que pueden ofrecerle un buen consejo o que tienen mucha experiencia. Ahora puede forjar anticipadamente todos los aspectos laborales.

Ágata de encaje azul
Clave Visión
Todo el éxito del mundo puede ser suyo, si da tanto como recibe. Tiene una imaginación extraordinaria, úsela. Su visión del futuro es grandiosa; no la sacrifique por otros.

Amatista
Clave Pasión
Señala un amor apasionado. Este es el momento de cerrar una puerta y abrir otra. Llegará un cambio profundo de conciencia y una transformación en su estilo de vida para mejorar. Los sentimientos extremos indican que alguien (¿quizás usted?) no puede decidir si quedarse o partir, amar u odiar, rendirse o resistir.

Ónice
Clave Estructura
Controla su vida, de manera que asegúrese de que ella es lo que desea. Requiere de estructura y organización para evitar el caos. Alguien está más interesado en la riqueza material que en el amor.

TIRADAS CON LOS CRISTALES

También podemos usar tiradas con los cristales para responder preguntas precisas, para averiguar si somos compatibles con otra persona, o para conocer las situaciones que debemos solucionar en nuestra vida para alcanzar la felicidad futura.

Preparación

Para estas lecturas lo mejor es cubrir la mesa con una tela especial o con un pañuelo de seda. Como alternativa, el sitio más natural para leer los cristales es al aire libre: a la orilla del mar o en un jardín. Los cristales son particularmente poderosos en la época de luna creciente y luna llena, y en algunos momentos especiales del año como los equinoccios de primavera y otoño, y los solsticios de verano e invierno.

Prepárese siempre con una técnica de meditación, quemando incienso o encendiendo velas; o, si está fuera, trace un círculo imaginario a su alrededor marcándolo con el índice a medida que hace un giro de 360°. Primero, trácelo en sentido de las manecillas del reloj, y luego en sentido contrario. De esta manera se protegerá usted y a sus cristales y revitalizará su energía para que resuene con el cosmos.

Tirada del destino

Esta tirada sencilla le permite averiguar cuáles situaciones debe resolver para obtener la felicidad futura.

• Saque cinco cristales de la bolsa, y colóquelos como se indica a la izquierda.

1 Su actual estado de ánimo
2 Su deseo futuro
3 Lo que realmente quiere
4 El problema que debe resolver
5 Consejo / resultado

CÓMO INTERPRETAR LA TIRADA

Cada cristal representa un aspecto diferente de su propio destino.

EJEMPLO

1 Su actual estado de ánimo – turquesa: Está inquieto.
2 Su deseo futuro – malaquita: Sueña con el éxito material.
3 Lo que realmente quiere – amatista: En su interior, desea más pasión para su vida.
4 El problema que debe resolver – cornalina roja: Debe decidir cuáles de sus aspiraciones son realmente suyas.
5 Consejo / resultado – cristal claro de cuarzo: Pronto tendrá claridad sobre sus metas verdaderas.

Tirada de la compatibilidad

Esta tirada es útil para saber si nuestra energía es compatible con la de otra persona. ¿Somos afines con ese nuevo amigo? ¿Podemos confiar en aquel colega incontrolable? ¿Esta nueva relación será el amor de nuestra vida?

- Saque cinco cristales de la bolsa, de uno en uno, y dispóngalos como se muestra abajo.

1 Yo, ahora
2 El otro, ahora
3 Juntos, ahora
4 Mi prueba
5 Nuestro destino juntos

CÓMO INTERPRETAR LA TIRADA
- Cada cristal representa un elemento diferente de la relación.

EJEMPLO: **Hace poco recibió un ascenso en el trabajo, pero un colega que antes se mostraba amistoso ahora parece disgustado.**
¿Podrán ser amigos de nuevo?

1 Yo, ahora – ágata de encaje azul: Se siente como si hubiera sacrificado una amistad por sus metas. Hay muchos sentimientos en el trasfondo y usted no es feliz en el trabajo.

2 El otro, ahora – turmalina: Su colega es una persona compasiva y cálida, pero no se atreve a confesar que siente envidia de su éxito.

3 Juntos, ahora – ágata roja: Si se reúnen ahora, lo más probable es que tengan una gran discusión en la que ambos expresarán toda su ira y luego regresarán al trabajo, sintiéndose mal. La reunión no necesariamente resolverá la situación.

4 Mi prueba – lapislázuli: Su prueba consiste en expandir su mundo social, hacer nuevos amigos y contactos laborales, y reír. Muestre la persona progresista que usted es y valore a quienes lo admiran por sus habilidades.

5 Nuestro destino juntos – ámbar: Su compañero pronto será lo suficientemente objetivo para darse cuenta de que su comportamiento es infantil y serán amigos nuevamente.

Índice

Agradecimientos

Editor Ejecutivo Sandra Rigby
Editor Jessica Cowie
Editor de Arte Sally Bond
Diseño Patrick McLeavey
Ilustraciones KJA-artists.com
Recopilación de imágenes Sophie Delpech
Control de producción Simone Nauerth

Imagenes

AKG, London 6, 60. **Corbis UK Ltd** 61; / Archivos de Austria 61; /Tracy Kahn 7 arriba a la derecha; /Craig Novell 4 arriba a la derecha, 109; /Marko Modic 136. **Getty Images**/ Richard Ashworth 4 centro a la derecha, 82. **Image Source** 119 arriba a la izquierda, 119 arriba a la derecha. **Octopus Publishing Group Limited** 51, 53, 56, 113, 120 centro arriba, 120 centro a la izquierda, 121 centro arriba, 121 arriba a la izquierda, 121 arriba a la derecha; /Frazer Cunningham 161; /Janeanne Gilchrist 112, 124; /Andy Komorowski 7 abajo a la izquierda, 163 (5, 6, 10), 164 (1, 3, 4, 5, 6, 9, 11), 165 (1, 4, 5, 6, 7, 9, 11), 166 arriba a la izquierda, 171, centro, 171, abajo a la derecha, 172 (1, 3), 173 (3, 4, 5); /Lis Parsons 120 arriba a la derecha; /Mike Prior 110, 160; /Guy Ryecart 2 abajo a la izquierda, 54, 119 arriba al centro, 163 (1, 2, 3, 4, 7, 8, 99, 164 (2, 7, 8, 10, 12) 165 (2, 3, 8, 10, 12), 166 centro a la derecha, 167, arriba a la derecha, 168, centro a la izquierda, 169 abajo a la derecha, 169, abajo a la izquierda, 170, centro a la izquierda, 170 centro, 170 arriba a la derecha, 170 abajo a la derecha, 171 arriba a la derecha, 171, centro a la derecha, 171, abajo a la izquierda, 172 (2, 4, 5), 173 (1, 2); /Meter PughCook 77; /George Wright 118. **Nasa/Jet Propulsión** Laboratory 52. **Photodisc** 49, 55, 108. **The Picture desk Ltd.**/ The Art Archive/Dagli Orti 41 abajo a la izquierda.